www.tredition.de

Tanja Hammerschmidt

GlücklichTsein

Tagebuch meiner außergewöhnlichen
Reise auf der Suche nach meinem inneren
Glücklichsein,
&
vom lieben Gott der sich nach und nach
seiner selbst bewusst wird!

**Autobiografie Band 1
(März – Juli 2016)**

www.tredition.de

Glücklichtsein, Band 1 (März – Juli 2016) erschien erstmals
2020, geschrieben von Tanja Hammerschmidt
E-Mail: gluecklichtsein.buch@gmail.com

© 2020 Tanja Hammerschmidt

Verlag und Druck:
tredition GmbH, Halenreie 40-44, 22359 Hamburg

	ISBN
Paperback:	978-3-347-16489-5
Hardcover:	978-3-347-16490-1
e-Book:	978-3-347-16491-8

Buchcovergestaltung: Chili Communications
Cover-Foto: Shutterstock
Lektorat: Ursula Hahnenberg, Selfpublisherbibel.de
Autorin-Foto: Stephan Bako

Autorin

Tanja Hammerschmidt, wurde im August 1967 in Wien geboren, reiste im Alter von 18 Jahren nach England, anschließend nach Frankreich, wo sie sich fünfunddreißig Jahre lang aufhielt. Sie lebte auch kurze Zeit in Spanien. Diese Auslandsreisen waren anfänglich eine unbewusste Flucht, um sich von ihrer familiären Erziehung und kollektiven Glaubens- und Verhaltenszwängen zu befreien. Alleine mit ihrem französischen Sohn zog die junge Frau von einer Stadt und von einem Land zum anderen, übte sehr unterschiedliche wagemutige selbständige Berufe aus, die sie immer näher zu ihrem wahren Sein auf der lebensnotwendigen, unendlichen Suche nach ihrem inneren Glücklichsein brachten. Auf ihrem tollkühnen, außergewöhnlichen und sehr abenteuerlichen Weg, bewegte sie sich intuitiv geleitet in unterschiedliche, überdimensionale Bewusstseinsebenen, wo sie unvergessliche Gottes- und Seelenerfahrung erlebt, die ihre metaphysischen Fragen, speziell die nach dem Sinn ihres Lebens beantworten und ihr lustloses, emotional schmerzvolles Leben fundamental verändert. Ihr einziger, treuer, permanenter Meister und Wegbegleiter ist ihr Tagebuch, das ihr anfänglich sehr hilft ihre emotional, qualvollen Gemütsleiden darin einem fiktiven Wesen anzuvertrauen, um aus ihrer depressiven Phase und ihrer Abhängigkeit vom Mann zu gelangen.

Ein willensstarker Trieb, ihre Seelenmission und ihr inneres Glück ohne äußere Reize unbedingt zu finden, zwingt die Autorin, zuerst die notwendige, bedingungslose Liebe zu sich selbst zu erlernen, ihr Herz zu öffnen, um dadurch anschließend einen potenziellen Seelenpartner in ihrem Leben anzuziehen, mit dem sie auf sehr mühsame Weise eine wahre, bedingungslose Liebesbeziehung erfährt. Durch einen intuitiven Drang schreibt sie andauernd, über Jahre hinweg ihre wichtigsten Erlebnisse, Eindrücke und Empfinden sowie ihre multiplen Bewusstseinserkenntnisse, die sie während ihrer sowohl metaphysischen wie auch weltlichen Reise erlebt, in einem Tagebuch auf.

Instinktiv verspürt sie jetzt den Drang, diese Erzählungen, die in verschiedene Jahre aufgeteilt sind, als einzelne Bände an die Öffentlichkeit zu bringen. Ihre geleiteten, zahlreichen, inneren Reisen in sehr unterschiedliche überirdische Dimensionen geben ihr heute die Möglichkeit, die unendliche, universelle Energie in sich zu erleben, sich damit zu verbinden und diese mit ihrem physischen Körper zu harmonisieren, um sie hier auf der Erde in ihrem tagtäglichen Leben zum Ausdruck zu bringen. Während ihrer inneren Suche nach sich selbst, erkennt sie ihren jahrelang weiblichen unterdrückten, eingesperrten, nicht respektierten, entmachteten, vom Mann abhängig gemachten Pol, erlernt schrittweise mühevoll, schmerzvoll, unumgänglich, ihre innere Frau wieder zu erkennen, sie zu heilen, für sie zu sorgen, sie zu respektieren und zu hüten, sie lernt ihre weiblichen Fähigkeiten zu Tage zu bringen, sie zu fördern und zu ehren, um sich im Nachhinein mit ihrem inneren männlichen Pol wieder ausgeglichen zu vereinigen. Sie ist sich darüber bewusst, dass dieser essenzielle Vorgang für eine harmonische wahre partnerschaftliche Beziehung eine unumgängliche Voraussetzung ist.

Inhaltsverzeichnis:

Erläuterung

Danke für dein Interesse mich zu lesen!

Das ist der Anfang meines Tagebuches, welches ich im Jahre 2016 zu schreiben begann. Der erste Band wurde im Jahre 2020 veröffentlicht. Bis heute gibt es mehrere Bände, die inzwischen entstanden, jedoch noch nicht herausgebracht wurden.

Zu Beginn dieses Werkes, *als Prolog*, publiziere ich die *E-Mails*, die ich an meinen Jugendfreund in Wien, den ich nach dreißig Jahren wiedergesehen habe, geschrieben habe. *Ich verfasste sie, als ich noch in Frankreich lebte, mit meinem französischen Computer und seiner Tastatur, deswegen ist die Grammatik und die Rechtschreibung nicht richtig, ich habe sie bewusst nicht korrigieren wollen und original so wiedergegeben*, sie waren ausschlaggebend für das Entstehen meines Tagebuches.

Meine Autobiografie ist ein Geschenk an dich, vielleicht ein Wegweiser, eine Anregung, ein Freund oder Begleiter, *aber auf keinen Fall ist sie eine Gebrauchsanweisung*! Sie wurde teilweise in sehr unterschiedlichen Bewusstseinsebenen aufgeschrieben, ebenfalls erzählen meine multiplen, gegensätzlichen Persönlichkeiten.

*** **Drei Sternchen** bedeuten, dass der Inhalt nicht mit meinem verständlichen Mind geschrieben wurde, sondern es passierte intuitiv, ich wurde dabei geleitet, es kam automatisch durch meine Finger, was da aufgeschrieben wurde.

Ich möchte auch noch zu deiner Information etwas beitragen, nämlich dass ich mich neben meinen zahlreichen, emotionalen Leiden auch in harmonisch, ausgeglichenen Gemütszuständen befand, und zwar jedes Mal, wenn ich nicht in mein Tagebuch geschrieben habe. Diese Autobiographie in Form eines Tagebuches war meine Lösung, mich jemanden anzuvertrauen, wenn es mir nicht gut ging oder mir eigenartige, überirdische Erkenntnisse widerfuhren. Außerdem möchte ich erwähnen, dass ich einige französische Vokabel verwendet habe, die übersetzt wurden. Auch die Satzstellung kann manchmal wegen meines langjährigen Auslandsaufenthaltes nicht grammatisch richtig sein, obwohl ich mein Werk korrigieren ließ, habe ich diesen Stil absichtlich beibehalten.

Alle Namen von Personen in diesem Werk, die mir die Möglichkeit gegeben haben, mich uneingeschränkt kennenzulernen, wurden von mir geändert, ich bedanke mich herzlichst bei ihnen diese Erfahrungen machen zu dürfen!

Zusammenfassung Band 1

Mein sehr außergewöhnliches und intimes Tagebuch beschreit die tollkühne Suche nach meinem inneren Glücklichsein.

Ausgelöst wurde dieser lebensnotwendige Wunsch durch ein Wiedersehen, mit meinem Jugendfreund nach dreißig Jahren, das schon lang vergessene, schmerzvolle Emotionen wieder zum Leben erweckt hat. Anfangs schreibe ich ihm oft Mails, offenbare ihm meine Vergangenheit, meine sehr intime Innenwelt, als von seiner Seite aus fast keine Antworten kamen entschied ich mich eines Tages, mich nicht mehr mit ihm auszutauschen. Das seelische Leid blieb jedoch weiterhin bestehen, meine affektive Abhängigkeit auch.

Erst durch die tagtäglichen schriftlichen Schilderungen meiner Gemütslage, einem fiktiven Wesen, begann langsam innere, seelische Heilung meiner Abhängigkeit vom Mann, als auch meiner dauerhaften Depression und der seit langem bestehenden Lebensunlust.

Gleichzeitig bekam ich Antworten auf meine existentiellen Fragen: „Wer bin ich, was habe ich hier auf der Erde zu tun?" Während dieser außergewöhnlichen, wie auch schmerzvollen Reise, gelange ich vom egozentrischen Tiefschlaf meines unbewussten Seins, allmählich auf die Ebene des bewussten Erwachens meines Daseins.

Lerne etappenweise auf mühsame und komplexe Weise wahre Liebe zu mir und zum Leben selbst.

Intuitiv geleitet begebe ich mich in mir vorher unbekannte, überdimensionale Bewusstseinsebenen.

Weiters erzähle ich über tagtägliche eindrucksvolle, einzigartige und unkonventionelle Erlebnisse mit Freunden, Familie und mir selbst.

Schildere über meine wiederholten Reisen von Nizza nach Wien, und den Aufbau meines Einzelunternehmens als energetische Masseurin in Wien, äußere mich über meine sensitiven sich ständig weiterentwickelten Fähigkeiten in Bezug auf meine eindrucksvolle Berufung, beschreibe unterschiedliche einzigartige Handlungsabläufe bezüglich meiner inneren Freiheit, Zuversicht und Harmonie.

Diverse individuelle Praktiken und Selbstheilungsmethoden, helfen mir meine emotionalen Leiden betreffend meinen Jugendfreund zu vermindern.

Ich schreibe über meine Art, mein Leben selbständig authentisch zu erschaffen, schildere meine seltsamen metaphysischen Bewusstseins Erweiterungen die mein tagtägliches Leben permanent verändern und mir die Möglichkeit geben, von der kollektiven Neurose allmählich zu erwachen. Ich teile Erfahrungen bezüglich meines Wegs zur Selbstliebe und innerer Vollkommenheit, und wie ich Verantwortung für mein Erlebtes, für mich, mein Leben und was ich alles dabei erfahre und empfinde, übernehme.

Ich vermittle fortwährend in meiner Geschichte mein Vertrauen in etwas unermesslich Höheres, wobei mir die Bedeutung *„loslassen"* eine mächtige Hilfe ist!

Prolog

Mails an Jugendfreund

Mail an Wiener Jugendfreund, 2015-12-27

Hallo Johann, Joe, Hansi,
wie auch immer ich weiss nicht, wie ich dich ansprechen soll, Johann ist natuerlich dein richtiger name jedoch bin ich eher gewohnt dich Joe zu nennen, ich finde es schoen wenn man den geburtsnamen nicht abschneidet oder irgendwie verdreht

frueher benannten wir dich mit Hansi als wir noch jung waren mit deinem abgekuerzten nachnamen.

schreibe dir ein bisschen aber alles in klein und keine zwei puenktchen ueber dem o, a, u und so weiter auch keine scharfen s das gibt es nicht auf meiner franzoesischen tastatur, rechtschreibfehler übersieh halt einfach ich bin schon zu lange in frankreich um noch richtig deutsch zu sprechen, geschweige denn es zu schreiben...

ja das mail von gestern habe ich einfach so aus meinem bauch rausgeschrieben und es war dann leider, weg wie ausgeloescht im computer "zut alors" (verflixt noch mal)!

um es kurz zu machen habe ich meine rueckreise und die geschichten mit dem gebaeck beschrieben, die so lustig und unerwartet vor sich gegangen ist und das meine mutter ihr handy nicht angeschaut hat und sich die ganze nacht sorgen wegen des flugs am naechsten tag gemacht hat, sie hat geglaubt ich versaeume den flieger, die arme sie hat mein sms erst in der frueh gesehen als ich schon nach hause kam,

dann war da noch die geschichte mit meinem appartment in frankreich als ich heimkam, ich glaubte da war eine bombe eingeschlagen, mein sohn hat da was weiss

ich wieviel feste gefeiert und alles liegen und stehen gelassen, jetzt weisst du was da auf dich zukommen wird,
fuer dich 3 mal, ...

er war schon bei seinem vater auf urlaub und nachdem
ich gerne ordnung habe und meine kunden morgen schon
kommen musste ich den ganzen mist aufraeumen, die
rechnung fuer 3 stunden putzen bekommt er aber doch,
... dann fand ich in meinem schlafzimmer preservatifs
(aber noch verpackt) und mein bett wurde natuerlich auch
als spielfeld benutzt ... naechstes mal kommt da ein gros-
ses schloss an meine schlafzimmer tuer

seit ich angekommen bin erledige ich die routinemaessigen dinge um die man nicht herum kommt, ich waere
jetzt lieber in einem hug mit dir, aber ich habe mir auch
gutes getan und zwar meine lieblingsbeschaeftigung,
morgens jogging und dann ins durchsichtige gruenblaue
meer eintauchen und mich darin verlieren, dieses mal war
es aber so kalt das meine fussspitzen und meine vagina
abfroren aber nur am anfang dann spuerte ich ohnehin
nichts mehr, das meditieren danach war ziemlich schwierig habe so viele sachen erlebt, dass meine gedanken einfach keine ruhe fanden und dann waren da auch noch irgendwelche hunde die dauernd zu mir kamen und mich
beschnueffelten
du warst auch andauernd in meinem kopf und auch
noch immer in meinem koerper das konnte ich spueren
und in meinem herzen war es eigentlich am staerksten da
verspuerte ich waerme und ruhe

ich schreibe einfach so was mir gerade durch die finger geht und denke womoeglich am wenigsten, dann schreibe ich das richtige fuer mich, hoffe es ist ok, dass ich so offen bin, lerne soeben meine gefuehle bei jemanden auszudruecken fuer den ich anziehung verspuere, affektive und die angst als laecherlich oder als sensible abgestempelt zu werden zu uebergehen

es ist eigentlich einfacher fuer mich dir dies alles zu schreiben und nicht in wien zu sein, es ist auch ein bisschen feige von mir ich gebs zu, schwieriger waere es dir gegenueber zu stehen und mich auszudruecken, wenn du mich mit deinen grossen blauen augen anschaust und interessiert zuhoerst

ja ich gebe es zu es war angenehm mich mit dir auszutauschen und diese verschiedenen eindruecke diese sensiblen gefuehlsmaessigen dinge zu spueren, meine sinne waren berauscht und sind es immer noch ein bisschen und ich kann durch meine vielen visualisierungs-uebungen die ich immer gemacht habe schnell und nahe bei deinem energiefeld ankommen und spueren, ich weiss nicht ob es praesenz ist oder vergangenheit, ist ja auch nicht von wichtigkeit

deine sensible seite hat mich stark angezogen dein offenes dasein und deine faehigkeit anzunehmen was auch immer ich gebe, ich fuehle mich ruhig, posé und zugleich sensuel in deiner gegenwart und eher sehr weiblich und ich selbst sein koennen, ohne das gefuehl zu haben nicht akzeptiert zu werden in all dem was ich bin und was ich ausdruecke, danke fuer dein stilles da sein

Susi wusste dass ich bei dir war, sie fragte mich ueber meine gefuehlswelt aus und wie ich die verbrachte zeit mit dir erlebte, ich habe aber keine lust mich darueber mit ihr zu unterhalten und noch weniger ueber facebook, ich sagte ihr es war schoen das ist alles, sie will wissen ob ich verliebt bin

was ist verliebt sein eigentlich? es ist nur ein gefuehl, wie kann man es definieren? sobald man ein gefuehl beschreibt oder es versucht in worte zu fassen ordnet man es dann schon wieder in eine bestimmte kategorie, in eine form, das will ich nicht ich spuere lieber ohne worte

seit ich von wien weg bin, ich spuere sehr stark meine sensibilitaet und bin sehr aufnahmefaehig fuer alles was die sinne angeht und auch auf energetischem niveau spuere ich was um mich herum vibriert, es ist angenehm und ein bisschen stoerend wenn man zusaetzlich diese routinemaessigen aufgaben erledigen muss, es ist aber ok und ich freue mich dies zu erleben,
vielleicht koennen wir irgendwann mal skypen wenn du lust und laune und „natuerlich zeit" hast (du hastest ja um nicht zu rosten) ha, ha, ha, ...

ich schreib dir jetzt jedesmal wenn ich lust habe das gefaellt mir, du musst natuerlich nicht antworten es ist einfach nur wie ein tagebuch das ich sowieso nie gefuehrt habe, angenehm ist es auch wenn man eine beziehung einfach so in der gegenwart erleben kann ohne irgendwelche erwartungen zu haben und die distanz macht es einfacher, es ist das erste mal fuer mich so einen austausch

mit einem mann zu haben der mich affektiv und im herzen anzieht,
die angst abgeplitzt zu werden ist hier natuerlich nicht vorhanden, oder sagen wir nur in kleiner menge, da es nur ein heute gibt und kein morgen

bussis schoenen abend
deine franzoesin

*Mail *** vom 2. Jaenner 2016*

Neujahres wuensche an wiener jugendfreund und mich:

Lieber Johann, fuer das kommende jahr und fuer das ganze restliche leben auf dieser materiellen welt wuensche ich dir:
- dass du einen gesunden physischen koerper hast
- dass du wieder weisst was du genau in deinem affektiven liebesleben, erleben und teilen willst,
- wieder lachen zu koennen und zwar ueber deine schmerzliche und unangenehme vergangenheit
- dass du der und den frauen die dich verletzt haben wieder vergeben lernst und zwar mit deinem herzen, auch wenn du ihr verhalten nicht verstehst
- das gluecklichsein tief innen von deinem herzen heraus spueren zu koennen auch ohne aeusserlichen reize und motivationen
- ganz spontan vom bauch heraus ganz verrueckte und moralisch nicht akzeptierbare dinge zu tun oder zu sagen, auch wenn die angst der konsequenzen sehr gross ist, so wie du es als kleiner junge auch getan hast
- ganz spontan vom bauch heraus einer lieben person deine tiefsten angenehmen und unangenehmen gefuehle zu teilen
- zur aeusseren ruhe zu kommen um die innere unruhe und ruhe zu spueren und anzuerkennen
- alles was du dir wuenscht und was wichtig ist fuer dich zu erleben, auszuprobieren
- so zu bleiben wie du jetzt bist weil du schon perfekt bist

- dass du in deiner gefuehlswelt genauso viel erfolg hast wie in deiner materiellen welt
- mit deiner tochter eine harmonische, respektive, ausgeglichene vater-tochter beziehung zu erleben
- frei und authentisch sein zu koennen in einer welt wo man nur gelernt hat gefangen zu sein in regeln und irgendwelchen rollen die man fuer irgendjemand spielt, um ein bisschen anerkennung und liebe zu erhoffen
- die faehigkeit zu erlernen oder zu besitzen dich selbst lieben zu lernen mit all den verschiedenen angenehmen und unangenehmen fassetten in dir tief drinnen
- eine partnerin anzuziehen die dich auf diesem weg begleitet und dich unterstuetzt um dies alles zu realisieren und dir hilft das beste von dir zu geben ohne dich zu juger (beurteilen)
- die faehigkeit zu besitzen oder zu lernen eine partnerin auch auf ihrem diesem weg zu begleiten, zu unterstuetzen und ihr zu helfen ihre beste seite an das tageslicht zu bringen, ohne sie zu condamner (verurteilen)

ich wuensche mir das selbe fuer mein leben

in viel liebe deine franzoesin
Tanja

Mail von Mitte Jaenner 2016

Johann, ich bin dir nie boese ich weiss das du nur das geben kannst wozu du im moment faehig bist, also keine sorge deswegen, sei wie du nur sein kannst ich habe gelernt damit umzugehen, auch wenn ich manchmal noch ein paar unangenehme gefuehle wegen des verhaltens einer anderen person, die mir wichtig ist verspuere gibt mir die situation immermehr die moeglichkeit diese zu erkennen und loszulassen, und so werde ich immer ausgeglichener, wird auch zeit, war aber auch lange und harte arbeit mit mir.

ich habe gespuert, dass es dir nicht gut geht ich schicke dir licht, habe genug davon die sonne scheint meistens hier auch den ganzen winter durchgehend

ich kann nachempfinden, dass du alleine sein willst, bin da auch durch und das ist ok, es ist wichtig sich in dieser phase zu respektieren und sich zeit zu geben das ist der erste schritt der heilung auch wenn es nicht angenehm ist

ja es stimmt ich wusste nicht mehr ob ich mich noch melden soll oder nicht ob du das eigentlich willst und annimmst, ob mein schreiben verstaendlich ist oder nicht, welche reaktion das bei dir ausloest oder nicht,

meine direkte art zu kommunizieren kann manchmal bei gewissen leuten unangenehme reaktionen ausloesen, obwohl ich sehr aufpasse um mich mit meinem herzen auszudruecken und nicht mit meinem ego, aber der ego ist natuerlich auch noch da obwohl ich ihm schon viel weniger taegliche nahrung gebe als frueher habe heute eine tantrische initiations session gemacht, die dauert 3 stunden und mein kunde (sie koennen sich manchmal aussuchen was sie gerade brauchen) wollte nach ein paar atmungs und meditationsuebungen einfach nur in die arme genommen werden und wie ein kleines kind gehalten und gestreichelt werden, also du siehst wir sind nicht die einzigen, der kunde ist auch ein beruflich erfolgreicher mann jedoch gefuehlsmaessig hat er alles unterdrueckt und oeffnet sich nur ganz schwer und langsam, er kommt schon seit einem jahr regelmaessig, manche brauchen eben laenger um loszulassen und um sich zu oeffnen

ich liebe meine berufung, sie heilt zur gleichen zeit meine vergangenheit und sie ist fuer mich keine arbeit, jede session ist individuell anders und interessant, nur mein sacrum macht mir ein paar schwierigkeiten da ich mich oefters in einer stellung des gebuecksein halte und wenn mein koerper nicht gut gemuskelt ist dann tut mir der untere rueckenbereich sehr weh, noch dazu tanze ich sehr lange und oft und auch des oefteren sehr verrueckt weil ichs ja auch ein bisschen bin dann respektiere ich meinen koerper ueberhaupt nicht und dann schmerzt es heftig,

einmal bei mir zu hause hoerte ich marokkanische trommel musik die war soooo top, dass ich wie eine verrueckte ungefaehr fuenfzehn minuten vibriert habe, mit dem ganzen koerper das waere eigentlich strickt verboten fuer mich jedoch wenn ich musik hoere dann muss ich tanzen, es ist wie eine droge, na ja danach am naechsten tag in der frueh kam ich nicht mehr aus dem bett ich hatte eine inflammation (entzuendung) aber was fuer eine, ich konnte mich nicht bewegen und das drei tage lang und schlauer bin ich daraus auch nicht geworden

hat dir die musik gefallen die ich dir im letzten mail durch you tube geschickt habe -armand armar-? passt vielleicht zu deiner stimmung und zum schnee und der dunkelheit, dann nehme ich dich in meine arme und halte dich lange, streichle deinen kopf und du lasst los, dann massiere ich deinen ganzen koerper ganz langsam mit einem angenehm riechenden massageol und du lasst noch mehr los, danach positioniere ich meine haende an verschiedenen koerperstellen wo ich spuere dass sich da viele verspannungen angesammelt haben und dein physischer koerper lasst los, danach harmonisiere ich dein energiefeld und du lasst auf anderen ebenen auch los und dann lass ich dich wieder alleine so wie du es wuenscht.

wenn du es mir erlaubst kann ich auch auf distanz arbeiten nur brauche ich dein einverstaendnis (es ist reiki hast vielleicht schon davon gehoert)!

so was kann ich dir noch erzaehlen? vieles mein leben ist sehr reich und vielfaeltig, meine gefuehlswelt sehr intensiv und tiefgehend, das leben, mein leben wie es sich mir praesentiert jeden moment in all seinen fazetten ist so ernaehrend fuer mich, es freut mich ein paar momente mit dir davon teilen zu koennen auch wenn es nur ueber ein paar buchstaben passiert, ich bemerke seit ich dich wieder getroffen habe und mich mit dir ueber diesen e-cran (bildschirm) unterhalte, dass du eigentlich in meiner naehe bist auch habe ich entdeckt, dass ich dich ueber die ferne spueren kann und zwar deine emotionen in deinem koerper es ist dabei viel konzentration gefragt aber es ist neu fuer mich dies auf distanz zu erleben, ich habe es bisher nur gespuert wenn ich meine haende auf den koerper meiner kunden gelegt habe und manchmal habe ich auch gespuert durch ihren physischen koerper hindurch zu greifen und das energiefeld drinnen im koerper spueren zu koennen, die organe sehen als visualisation, diese bewustseinserfahrung ist neu seit ungefaehr vier monaten hat das alles angefangen und es wird immer intensiver und ich werde immer feinfuehliger, wo das enden wird??? keine ahnung, vielleicht in der narrenklinik, nein das war ein schmaeh, ich glaube ich habe eben irgendwelche talente dafuer und ich glaube die hat jeder nur jeder weitert diese nicht aus, ich habe meine sensibilitaet bei einem reiki kurs entdeckt und dann jeden tag geuebt, geuebt und trainiert und dann wird man sensibler das ist alles, so einfach wenn mans will ...

so jetzt ist aber genug brauche noch ein bisschen meine finger und energie und lust meiner mutter zu schreiben sie freut sich auch immer ueber ein paar zeilen von mir,

aber im ernst wenn du wieder lust und zeit und stimmung hast ein paar zeilen ueber dich und dein erleben freuen mich sicher sehr, und ueber deine gefuehle, falls du bereit bist diese mit mir zu teilen, ...

big and strong hug de cœur a cœur, (herz zu herz)

j'aime la neige (ich liebe den schnee) und es ist sicher sehr schoen aus deinem schlafzimmerfenster den weissen schnee fallen zu sehen in deinem wunderschoenen garten

Tanja

Mail von Tanja, 11.01.2016 um 11:19

Hallo lieber Johann, habe heute einen freien vormittag, das wetter wahrscheinlich so wie in wien « grau » und somit schreibe ich dir, es wird lange diesmal also setz dich hin oder leg dich ins bett ganz gemuetlich und nimmt Dir einen kleinen aperitif, aber bleib bei sinnen nicht soviel davon es wird interessant ... oder auch nicht wie man es nimmt

hoffe du fuehlst dich ein bisschen, aber eher sehr wohler und deine stimmung geht langsam wieder den berg hinauf, ich wuensche es dir von ganzem herzen.

ich weiss noch immer nicht genau was du gerade erlebst, fuehlst was ich aber spueren kann soweit ich dich auf distanz spueren kann ist traurigkeit, lustlosigkeit und wenn ich mich auf deine herzgegend konzentriere spuere ich einen starken schmerz im vorderen bereich und in der hinteren rueckengegend zwischen den schulterblaettern, das was ich da spuere tut mir sehr weh, wie wenn man mit einer zange zudrueckt wie wenn diese gegend total verschlossen ist und da kein leben durchfliesst, wie zugesperrt, nur nichts fuehlen, das ist wie ein dumpfer schmerz ohne nachlass permanent

aber vielleicht irre ich mich und es ist was ganz anderes ich hoffe und wuensche es dir, dass du mit deinem leben zufrieden und emotional harmonisch ausgeglichen bist und dass dein koerper sehr gesund, stark und voller energie geladen ist, dass du dein privates, soziales und geschaeftliches leben geniesst und dich gluecklich damit identifizieren kannst ich weiss nicht genau was ich dir heute berichten will oder soll oder kann, ich wollte dir eigentlich gar nicht schreiben weil mich diese art von verbindung automatisch in eine warteposition stellt ohne dass dies von mir beabsichtigt oder gewuenscht wird, auf bewusster ebene, aber unbewusst schon nachdem dies zum vorschein kommt, ich warte auf antwort oder einem lebenszeichen und weiss dass du im moment nicht in der verfassung bist mit mir zu kommunizieren oder vielleicht nie, man weiss ja nicht was in der zukunft vorsich geht, aber es ist eine gute gelegenheit fuer mich loszulassen was auch immer kommt oder nicht

aber ich bin mir bewusst geworden, dass ich dich gerne gelesen haette oder mit dir gesprochen haette

wenn ich dir aber nicht schreibe merke ich, dass mir das fehlt, dieser kontakt eher einseitige aber doch eine art in kontakt mit dir zu stehen, und zwar in der realen materiellen welt,
ich weiss nicht ob diese zeilen verstaendlich sind, manchmal verliere ich mich auch selber in meiner art mich auszudruecken, es geht sehr schnell im meinem kopf herum und so schnell kann ich nicht schreiben und dann ist wieder eine andere wahrheit die ans licht kommt und schon hat sich das was ich vorher erklaeren will schon wieder veraendert ...

der mensch ist wirklich sehr komplex und das gehirn noch mehr

so und was ich noch schreiben wollte ist, was ich empfinde wegen des schreibens, da gibt es tage da fehlt mir
einfach die spontane handlung es kommt nichts, kein
"jetzt nehme ich den komputer und gehe mit dir in kontakt," da ist auch keine intuition, kein innerer drang, kein
feeling, keine idee was ich schreiben soll und so lasse ich
es halt bleiben, oder ich habe einfach keine zeit weil es
schon spaet am abend ist und ich muede bin

dann gibt es auch momente wo ich einfach nicht in meinem herzen bin und zwar total im verletzten EGO und ich
fuehle mich aergelich, weil ich diejenige bin die den kontakt aufrecht erhaelt und von der anderen seite nichts
kommt und das irritiert mich und dann kommt sowieso
nichts gescheites heraus und so schreibe ich halt nicht, das
habe ich jetzt schon zweimal erlaebt

aber all diese gefuehle und erkenntnisse sind ok fuer
mich, das bin ich, das sind alles teile meiner person und
meines innenlebens, unsere beziehung hilft mir mich noch
besser kennenzulernen und mich in neuen situationen
auszuprobieren und zu lernen dennoch im herzen zu bleiben

dann denke ich aber trotzdem, was ist das beste fuer Johann, dass ich schreibe und berichte oder kein lebenszeichen von mir gebe und ihn einfach in ruhe lasse mit seiner
ganzen gefuehlswelt und seinem leben, vielleicht stoert
ihn das nur und bringt alles in ihm durcheinander oder
auch nicht, was weiss ich was er fuehlt und was der auslo-
eser fuer seine unharmonische stimmung war und viel-

leicht noch ist, wie gesagt das gehirn kann sich hundert-tausend situationen vorstellen und ohne ende ausmalen und durchspielen und nur suppositionen erstellen aber es gibt ja nur die eigene wahrheit eines jedem und deine kenne ich zu diesem zeitpunkt nicht.

ich kann ja nur annehmen das unser treffen vielleicht deine aktuelle stimmung ausgeloest hat, aber vielleicht ist es was ganz anderes was du erlebt hast aus deiner vergan-genheit und das jetzt heraufkommt und sich ausdruecken will

ja so wie ich es in wien gefuehlt habe, habe ich den ein-druck gehabt du wolltest meine presenz meiden und das schon nach unserem ersten treffen, obwohl du mich ueber facebook nach dreissig jahren kontaktiert hast und mich wiedersehen wolltest und ich zufaellig ein paar wo-chen sowieso nach Wien kam und nach dem restaurant rendez-vous in hietzing spuerte ich von deiner seite aus kein interesse mich wiederzusehen, obwohl du vorge-schlagen hast mich am wochenende auf dem land in der therme zu besuchen und mir angeboten hast dich auch bei dem putenfleischessen bei freunden zu begleiten und ich dann von dir eine absage bekam und fuer das putenfleisch rendez-vous nichts mehr gehoehrt habe und dich zufaellig bei Susi wiedergesehen habe und dein verhalten mir ge-genueber sehr distant war

waehrend dieser wochen habe ich jedoch sehr viele und intensive gefuehle erlebt und zwar nehme ich an die sel-ben die ich schon mit 17 jahren spuerte und sie damals einfach wegschob, nur um diese nicht wahrzuneahmen, die waren aber wirklich nicht angenaehm, ich wollte dir das alles berichten und mit dir teilen jedoch der kurze abend bei dir zuhause verlief anders als ich mir erwartet habe und so war da keine gelegenheit mich dir anzuvertrauen, (bereue aber nichts im gegenteil)

so jetzt mache ich dies aber, ich empfand sehr viel traurigkeit auf der gefuehlsebene, ich weiss nicht genau was da vorgefallen ist vor 30 jahren, ich habe das alles aus meinen gedanken verdraengt als schutz um nicht zu leiden und so kann ich mich nicht mehr an alle details erinnern, nur weiss ich dass du mit mir keinen kontakt mehr wolltest gleich nach deinem ueberraschenden besuch waehrend meines gardasee urlaubs und diese szene hat sich jetzt eigentlich aehnlich wieder bei meinem besuch in wien abgespielt, dann war ich auch anfangs veraergert weil du mir versprechungen gemacht hast obwohl ich gar nichts von dir erwartet habe und sie dann in letzter minute abgesagt oder dich gar nicht gemeldet hast, das tat auch weh und ich konnte nicht verstehen warum, ich bekam ja keine erklaerung fuer dein verhalten, ich habe auch Susi gesagt dass ich spuere dass du mich meidest

dann war da auch wieder dieses gefuehl verliebt zu sein und affektiv abhaengig von dir zu sein und je mehr du mich ignorierste umso staerker war dieses abhaengigkeitsgefuehl

ich habe mich auch wieder daran erinnern koennen (gefuehlsmaessig), dass ich sehr unter deiner damaligen gefuehlskaelte gelitten habe, diejenige die sehr viel anerkennung und affektieve bestaetigung brauchte da sie diese nie von zuhause bakam, leidete zu dieser zeit unter diesen nicht ausgedrueckten gefuehlen in unserer beziehung, ich dachte du machst dir eh nicht viel aus mir und als du mir ueber facebook schriebst dass du mich ur-gern gehabt hast und verliebt warst war ich verblüefft nachdem ich davon nichts gespuert habe und du es mir auch nicht zeigen konntest und nie gesagt hast, und deine reise zu mir am gardasee war wirklich eine ueberrschung damit habe ich ueberhaupt nicht gerechnet, zu diesem zeitpunkt merkte ich erst dass dir etwas an mir liegt und du machst danach schluss!? und gehst mit Susi aus!?

diese und viele andere situationen die ich in meiner fruehen kindheit und teenegerperiode erlebt und nicht verarbeitet habe steckten alle in meinem emotionalen gedaechtnis meines koerpers, fest verschlossen tief im inneren, nur nicht spueren, mich nie wieder daran erinnern da dies sowieso nur schmerzt, und somit ging ich auch mit 18 von wien ins ausland das war eigentlich eine art flucht und selbstschutz zur gleichen zeit, nur weg von diesen unangenehmen dingen

Danach bin ich nur mit 100 in der stunde von einer situation in die andere gerast, nur um nichts zu spueren und nachdem ich alles bei mir verriegelt habe herz und gefuehle und unsensible geworden bin fuer alles was mir nur ein bisschen schmerz zufuegen koennte, bin ich wie ein betonklotz durch mein leben gehetzt, habe nur aeusserliche reize gesucht, sehr intensive damit ich nur irgendetwas spuere um noch ein leben in mir wahrnehmen zu koennen,
ohne den aeusseren reizen war ich innerlich eh schon fast tot, und somit war mein leben bis ungefaehr 35 jahre

nur stress und kompensation, produziert durch sehr intensive aktionen auf allen Niveaus und in vielfaelltigen bereichen, bis ich dann durch ein burnout und einer depression von meinem koerper aufgehalten wurde und mir ueber meine flucht und meine extreme lebensweise bewusst wurde, meine kompensationen waren: alcohol, rauchen, arbeiten, unternehmen gruenden, geld ausgeben, sex, kompulsifes einkaufen, sport, ausgehen, erscheinen muessen, dominieren wollen, recht haben muessen und den mann conqueriren (erobern), usw...,

nachdem ich aber schon seit vielen jahren den groessten teil meiner unharmonischen vergangenheit aufgearbeit habe und meine dunklen Seiten zu Gesicht bekommen und sie auch teilweise schon annehmen kann und gel ernt habe mich selbstaendig auf vielen unterschiedlichen ebenen zu ernaehren, um nicht von der aussenwelt abhaengig zu sein, speziell nicht vom mann, konnte ich die meisste zeit waehrend meiner wien reise und in der beziehung zu dir im herzen verbleiben und mich nicht in den emotionen verlieren, die unser treffen wieder an die oberflaeche geholt haben,
ich versuchte auch dich zu spueren, was da in dir vorgeht warum du dich so benimmst,

ich wollte dich nicht verletzen und blieb eher distant, da ich dein unerwartetes verhalten versuchte zu akzeptieren um mit liebe mit dir in kontakt zu verbleiben,
als du dich dann am letzten tag gemeldet hast war ich natuerlich ziemlich ueberrascht, habe ich mir gar nicht erwartet, jedoch das treffen am letzten abend mit deinem

freund hat mir nicht die moeglichkeit gegeben mich dir anzuvertrauen und der alcoholkonsum im weinkeller noch weniger, habe aber trotzdem einen super abend verbracht, keine sorge deinen freund habe ich auch unterhaltsam und angenehm empfunden, aber das ist jetzt nicht das thema

also diese gelegenheit in wien waehrend meines aufenthaltes, diese ganze geschichte meiner vergangenheit, diese noch einmal durchzuerleben und zwar auf einem anderen niveau, naemlich bewusster mit denselben gefuehlen und sehr aehnlichen situationen, das war fuer mich die gelegenheit da drinnen bei mir aufzuraeumen und diese vielen unangenehmen gefuehle einfach zuzulassen, sie anzunehmen und sie zu verabschieden

ich verstehe nicht warum ich nicht auf Susi boese bin, ihr wart ja nach unserer trennung sofort zusammen, da kann ich erstaunlicher weise nichts nachfuehlen oder noch nicht, wer weiss, gar keine wut oder eifersucht?

was du empfindest oder empfunden hast weiss ich nicht, es wuerde mich sehr interessieren, nachdem du mir bei unserem ersten treffen in wien erklaertest, dass du unsere beziehung absichtlich beendet hast, bevor ich sie beende um eventuelles leid zu vermeiden.

ich weiss auch, dass du zu diesem zeitpunkt und dich auch jetzt nicht anders verhalten konntest und nicht kannst, wir sind alle durch unsere vergangenheit, familie, transgeneration, gepraegt und unser handeln wird stark dadurch beeinflusst, ich wuerde gerne deine geschichte kennenlernen sofern du sie mit mir eines tages teilen moechtest

ich glaube, dass diese gelegenheit uns die moeglichkeit gibt da was zu bereinigen und loszulassen, in harmonie zu bringen, nachdem meine ganzen maennlichen beziehungen die ich nach unserer trennung aufgebaut habe ein fiasko waren und sie wahrscheinlich auch teilweise durch diese unverstandene leidensvoll beendete beziehung charakterisiert wurden.

im leben bekommt man immer eine zweite chance, eine unausgeglichene unbewusste situation harmonisch bewusst durchzuerleben, um sein verhalten dann bewusst veraendern zu koennen, um die gleichen fehler nicht noch einmal zu machen

so genug geschrieben fuer heute jetzt bist du aber irgendwann an der reihe, mir geht ja schon der schreibstoff aus oder stell mir halt fragen was dich interessieren wuerde, wenn du nicht von dir sprechen willst oder noch nicht kannst

hab dich immer noch sehr lieb auch wenn nichts von der front kommt, bin im herzen bei dir, nimm dir die zeit die du brauchst

Tanja

Mail von Tanja, Jaenner 2016

Ich habe lange darueber nachgedacht und versucht mich in die idee, die da in mir ans tageslicht gekommen ist, hineinzuspueren und deswegen kann ich sie dir jetzt vorschlagen:

falls deine gefuehle mir gegenueber noch immer von deinem herzen kommen, so wie frueher und du dir es auch wuenschen wuerdest und wenn du irgendwann frei in deinem herzen bist, bin ich bereit nach wien zurueck zukommen und wir schauen weiter und diesmal ist es keine flucht aus frankreich, mein leben hier gefaellt mir, ich habe es so geschaffen wie ich es wollte und ich bin damit sehr zufrieden und ausgeglichen, es ist mit mir im einklang, authentisch, jedoch spuere ich als naechste étape in meiner Weiterentwicklung eine wahre liebesbeziehung mit einem herz partner zu erleben.

ich bin auch bereit einen neuen lebensanfang zu erschaffen der komplementaire waere zu meinem jetzigen, so Johann du hast jetzt alle karten in deiner hand, ich bin soweit gluecklich in meinem inneren, entscheide wie es weitergehen soll

in liebe Tanja

Mail von Tanja am 17 Jaenner 2016

Hallo Johann,

haette gerne, dass du mich einfach nur in deine arme nimmst und mich zart festhaelst und ich einfach nur loslassen kann an nichts denken, einfach ohne worte dasein, mich spueren und atmen hoeren, und deine koerperwaerme und deine staerke die mich umhuellen und festhalten, ...

fuehle mich ein bisschen vulnerable heute ohne grund, bussis

Tanja deine franzoesin

Hallo lieber Hansi,
heute will ich dich so nennen, dies erinnert mich an meine vergangenheit, jetzt steigt traurigkeit in mir hoch, wenn ich so von der vergangeheit spreche, da ist angeblich noch was das nicht verheilt ist, ich nehms halt an ist auch noch ein teil von mir.

habe heute kelnen kunden am nachmittag fuer massagen im hotel, die liste ist leer und somit habe ich zeit fuer mich und auch fuer dich, manchmal sind die situationen fuer bestimmte gelegenheiten vorteilhaft und fuer andere weniger (geldbeutel), dann gebe ich halt weniger aus und unternehme mehr taetigkeiten die kostenlos sind, ist auch recht, dann werde ich wenigstens erfinderisch, ist eh zu einfach ins geschaeft zu gehen und sich irgendwas zu kaufen was man vielleicht gar nicht dringend braucht, aber mir eine beschaeftigung suchen die mich auffuellt und mich ernaehrt und kostenlos ist und ein bisschen aus dem gewoehnlichen herauskommt ist ein reiz fuer mich, mal nachdenken!

ich koennte bei einem freund mich um sein pferd kuemmern wie es mir angeboten wurde, oder mit ihm reiten gehen, oder aber auch einfach eine neue Waldgegend ausfindig machen und mich da auf ein kleines spazierabenteuer einlassen, ich bin aber jetzt in einer faulenzerei-energie das heisst ohne richtige aktions- unternehmungsstimmung, aber nur herumsitzen und schreiben geht ja auch nur eine bestimmte zeit, wenn ich jedoch versuche nur in der gegenwart zu sein, dann ist mir das schreiben eigentlich am liebsten,

musik habe ich schon gehoert, getanzt hab ich auch schon, ganz zierlich und weiblich sensuel aber auch verrueckt (acdc da kann ich total ausgeflippt herumtoben und schreien), gearbeitet habe ich schon den ganzen morgen und vormittag bis jetzt und ich hab eigentlich keine lust mich in die kaelte zu begeben, die nicht so kalt ist wie bei euch aber fuer mich heute unangenehm so von draussen aufgeweckt zu werden, das heisst ich bin irgendwie durch zu viel massagen und meditationen in einem halben tranceartigen zustand und da fuehl ich mich angenhem darin,

wollte dir anfangs eh gar nicht schreiben aber du siehst was daraus wird wenn ich nicht schreiben will, die finger tanzen nur so auf den tasten herum, und ich eigentlich nichts dagegen tun kann, mein anderer teil des koerpers ist im trancezustand,

wollte Dir nicht schreiben weil ich im ego-zustand war vorher und das schon seit einer stunde, weiss nicht warum der sich jetzt so ploetzlich wieder vorgedraengt hat und somit wollte ich dir nicht irgendwelche nicht vom herzen kommende worte, zeilen schreiben, ja vielleicht weil du mich nicht angerufen hast und ich deine stimme hoeren wollte und ja ich hab dann darauf gewartet und das mag ich nicht auf irgendetwas warten, obwohl ich dich jetzt schon kenne und wenn du etwas versprichst oder eine intention (vorhaben) hast etwas zu vollbringen dann ist es moeglich aus meiner erfahrung heraus, dass du dann im letzten moment anders entscheidest und die person (mich) nicht ueber deine entscheidungsaenderung miteinbeziehst und dann gar nichts mehr von dir kommt,

dass ist nicht angenehm und dann fuehle ich auch so komische gefuehle, ich weiss nicht ob das deine sind oder meine alten, die kenne ich gut, wie wenn du dich dann aergerst und angefressen bist (warum weiss ich nicht) aber das hab ich gespuert, es ist das gleiche gefuehl das ich empfunden habe als du mich in schoenbrunn abgeholt hast und ich mich in der U-bahn station geirrt habe und du mich telephonisch ueber deine standposition informiert hast, kurz, kalt und buendig und dieses selbe gefuehl habe ich wieder gespuert, ich kenne dieses empfinden als ich klein war mit papa.

vielleicht warst du veraergert weil ich eher schwer zu erreichen war oder weil ich deine anfrage an meine mobilnummer spaet zur kenntnis genommen habe (ich muss in meinem komputer sein um zu wissen dass ich eine nachricht von facebook habe), du kennst mein steinzeitalterhandy, vielleicht wolltest du mich spontan telefonisch erreichen weil du gerade in dieser unternehmerischen stimmung warst und dann war diese nicht mehr aktuell, kann moeglich sein, wie schon gesagt alles nur suppositionnen, nur du kennst die wahrheit, aber das spueren dass gefuehlsmaessig etwas nicht in harmonie war, das habe ich, bin jedoch nicht darauf eingegangen und hab dir über messenger ein engerl geschickt

am wochenende war ich in einem atelier (workshop), biodanza vielleicht kennst du das, da tanzt man den ganzen tag und zwar zu ganz unterschiedlicher musik und vor jedem neuen musikstueck gibt es ein thema das zu beruecksichtigen ist, wie zum beispiel waehrend des tanzens, seine weibliche oder maennliche seite zum ausdruck zu bringen, oder durch den tanz seine hingabe oder seine aufnahmefaehigkeit auszudruecken, oder durch die koerperbewegung harmonie in die verschieden koerperteile zu bringen, oder wir tanzen paarweise und da muss jeder etwas anderes dem partner oder der partnerin durch seine bewegung ausdruecken und vise versa, oder die ganze gruppe tanzt alle zusammengepickt oder eher lockerer das ist gar nicht so einfach oder mit verbundenen augen sich von der gruppe leiten lassen und alle tanzenden mitglieder beruehren und sich dabei dem rythmus anzuvertrauen, das hab ich schon ein paarmal mit gemacht ist ganz interessant und die leute sind sehr unterschiedlich und ich fuehl mich wohl in dieser gesellschaft, keine kritik und jeder kann so sein und denken und sich bewegen wie er ist

gehe naechstes wochenende skifahren, isola 2000 das ist 2 stunden ungefaehr von der cote d'azur enfernt, mit freunden und ich muss mir alles borgen lassen, nachdem ich schon seit 3 jahren nicht mehr skiefahren wollte, ich hasste die kaelte, die vielen leute, das schlangenstehen an den skielliften, die betonhaeuser auf den pisten und einfach alles zu dieser zeit, jetzt geht es wieder es war halt so eine phase, hab wieder lust mich in das abenteuer ski zu schmeissen und na ja vielleicht vergeht es mir danach wieder fuer ein paar jahre ...

mein sohn ist in toulon diese woche und somit hab ich die ganze wohnung fuer mich allein und kann tun und machen was ich will und wann ich will ohne auf die uhr zu schauen und hinter ihm herzuputzen, urlaub von meinem sohn das tut manchmal ganz gut nach 19 jahren, er geht dort auf eine berufsschule fuer verkauf, handel, vertreter und macht ein praktikum, zwei wochen jeden monat bei einem autohaendler hier in antibes, er moechte spaeter luxusauto verkaufen das ist sein traum als er schon klein war, kommt von seinem und meinem vater vielleicht

unsere beziehung ist sehr intensiv und feurig, bei ihm ist viel wut im inneren, bei mir war auch sehr viel frueher und ist vielleicht noch immer ein bisschen (2 kontrollierende carakter, obwohl ich schon viel losgelassen habe), er laesst sich nichts von niemanden sagen, er weiss alles besser, und so wird unsere cohabitation (zusammenleben) manchmal wirklich auf probe gestellt, er vergisst dass ich diejenige bin die die miete bezahlt und er ein paar regeln beachten muss damit unser nebeneinanderwohnen harmonisch vor sich geht, also funktioniert es nur mit diplomatie und manchmal ist mir das zu anstrengend jedes mal vorher meine worte und aktionen ueberlegen zu muessen damit das bei ihm ankommt, und wenn er sich weigert irgendeine aufgesetzte regel zu respektieren, dann muss ich warten bis er etwas von mir braucht um ihn dann dazu zu bringen dass es erlaedigt wird,

du siehst es ist nicht einfach, aber ich hab ihn sehr lieb, bin stolz auf ihn und er ist gesund, huebsch, intelligent, sensible, stark, redegewandt (wohl besser beim verkauf), weiss was er will und was nicht und man kann ihn nicht beeinflussen, ist auch gut so, er geht seinen weg und keiner kann ihm dazwischen reden, er wird seine eigenen erfahrungen machen,

er spricht auch neben franzoesisch, deutsch, habe seit seiner geburt nur so mit ihm gesprochen, und ich bin seit meiner trennung von seinem vater, da war er 3 jahre, alleine mit ihm und begleite ihn auf seinem lebensweg so gut ich konnte und kann, er hat viel unter meiner zahlreichen umzuegen gelitten, ich habe ihn dadurch immer aus einem ihm anvertrauten umfeld, situation herausgerissen (bei mir war es flucht, nur nicht lange wo bleiben, keine langweile und nur weiter neue abenteuer, ...), er hat sich dann immer in neue situationen einleben muessen, neue freunde, neue gegend und so weiter, das schlimmste war fuer ihn spanien, da konnte er die sprache nicht und somit hat er sich nicht integrieren koennen oder nur sehr schwer und ich habe nur gearbeitet, er war andauernd alleine oder mit bekannten und kindermaedchen.

seinen vater sieht er nur manchmal, wenn er auf urlaub ist oder zu weihnachten, aber eher selten, er lebt in der naehe von perpignan an der spanischen grenze, wo ich 15 jahre gelebt und ueberlebt habe, wo ich auch mein restaurant und den wiener spezialitaeten snack (imbiss) gegruendet hatte,

die gegend ist naturmaessig sehr schoen und natuerlich belassen nicht so verbaut wie hier, ist katalanisch, ziemlich harte patriarche macho gegend, keine weitsichtige mentalitaet, als selbstaendige eher freie frau und geschaeftsfuehrerin ist man da nicht sehr gerne gesehen (so aehnlich wie korsiker oder sizilianer), da hab ich auch einiges mitgemacht und kennengelernt, wie wenn ich mir mein ganzes leben lang alle nur moeglichen, schwierigsten orte, staedte, menschen, situationen, mit den jeweiligen dazu passend haertesten lebenspruefungen ausgesucht haette, na ja irgendwie hat es sich ja gelohnt wenn ich mich jetzt so anschaue und diese ganzen lebensabschnitte haben mich ja zu dem gemacht was ich jetzt bin, dann hat es sich ja wirklich ausgezahlt aber andere menschen haben nicht so viele defits (herausforderungen) und sind auch stark und zufrieden, hat halt so sein muessen, aendern kann ich es ohnedies nicht mehr.

ja du siehst ich schreibe wieder so viel und erzaehle und merke irgendwie mache ich monologe, kein austausch, keine fragen, keine geschichten, anregungen von dir, ich weiss gar nichts von dir oder fast gar nichts, kann dich nur spueren, ist halt auch ok so, erfahre mich selber mich in monologen zu unterhalten, und wenn ich dir ab jetzt nicht mehr schreibe was passiert dann, wie wuerdest du reagieren und wie es in dir erleben ?

wollte sowieso irgendwann ein buch schreiben vielleicht ist das der anfang? aber vielleicht schreibst du mein buch an meiner stelle, genug schreibstoff bekommst du ja von mir, was interessiert dich noch ueber mich zu erfahren?

was bewirken meine monologe bei dir, was loesen sie in dir aus?

was loese ich in dir aus, mit meinem verhalten, meinen gefuehlen, meinem wieder dasein in deiner jetzigen welt?

welche rolle spiele ich in deinem aktuellem leben?

was hat sich bei dir seit unserem wiedersehen veraendert oder ist dir bewusst geworden?

wer bist du? was willst du?

ich kann noch ein paar seiten A4 so weiter fragen, gibt es ueberhaupt antworten auf all diese interrogationen???

aber vielleicht kenne ich die antworten ja ohnedies schon, wer weiss!

wir koennen ja die rollen einmal tauschen, du spielst meine ich deine, du schreibst, erzaehlst und monologierst und ich lese dich, wie wuerde dir das gefallen, wie wuerdest du dich dabei fuehlen?

ich hab den eindruck ich tausche mich mit einem anonymen mann aus, so wie man ihn auf einer kennenlernwebsite trifft, der aber anonym bleiben will und nichts von sich gibt, warum???

gibt es ueberhaupt einen grund muss es einen grund geben, vielleicht ist dieses verhalten normal in unserer eigenartigen illusionswelt, vielleicht bin ich auch ganz alleine auf dieser erde? wer weiss? vielleicht bin ich auch du! und rede nur mit mir selbst, da kann ich mir auch die antworten aussuchen die ich gerne haette, oder?

jetzt bist du aber an der reihe falls es dich gibt

hab dich lieb oder mich falls es dich nicht gibt, weiss auch nicht warum, aber muss es ein warum geben? nein muss es nicht!

Tanja

Tagebuch meiner

außergewöhnlichen Reise auf der

Suche nach meinem

inneren Glücklichsein,

vom lieben Gott der sich

nach und nach seiner selbst

bewusst wird!

März 2016

1. März - Côte d'Azur

Es war da heute so ein inneres Pulsieren, ein innerer Drang, ein Antrieb, dass da etwas aufgeschrieben werden möchte, es wollte raus aus mir, ich wünsche mir es einfach mit Dir zu teilen.

Dazu musste ich jedoch erst einmal meinen Computer zurückerstatten, er war seit langer Zeit bei der Reparatur und ich war zu faul ihn abzuholen, dann musste ich dort beim Computer- Fachmann drei Schecks ausstellen, da die Reparatur sehr teuer war, fast so teuer wie der Apparat selbst und ich konnte es mir eigentlich gar nicht leisten.

Der Computer wartete schon lange repariert beim Händler auf mich, bis ich mich heute am Strand spontan während meiner Meditation endlich dazu entschied, ihn abzuholen.

Ja, diese fundamentale, morgendliche Meditation, die so wichtig für mich ist, um in meiner inneren Achse zu verweilen, die mir aber heute sowieso nicht gelang, da sich der Lärm der Wellen und der Wind mit meinen unendlichen Gedankenflüssen in meinem Kopf gegen mich verbündeten und mich von meiner inneren Ruhe total ablenkten.

Es ist wirklich nicht einfach, mich nur auf meine Atmung oder auf meinen inneren Energiefluss zu konzentrieren, mich nicht von meinen Gedankenflüssen ablenken zu lassen. Sie erscheinen andauernd, treiben ihr Unwesen in meinem Kopf und habe ich dann endlich diesen Zustand innerer Ruhe erreicht, muss ich auf der Hut sein, um nicht dabei einzuschlafen, was ja viel einfacher wäre. Es geht aber bei meiner Meditation darum, stiller Teilhaber,

Zeuge, Beobachter meiner selbst und meiner gegenwärtigen Umwelt zu sein, ohne mich zu beurteilen, mich einfach nur ganzheitlich anzunehmen, mit all dem, was zu diesem Zeitpunkt existiert, zum Vorschein tritt und nur in mich hinein zu spüren.

Ich fühle mich dann so wohl, in dieser ruhigen Position innezuhalten, dass ich meinen physischen Körper nicht mehr spüre, eigentlich gar nicht mehr wahrnehme, und mit den Energiewellen im Einklang bin, wie ein Pendel, mich automatisch ganz sanft entweder im Kreise bewege, oder im Tick Tack nach links und rechts wie ein Metronom oder dass ich mich nach vorne und nach hinten balanciere, manchmal auch in der schnellen rhythmischen Schwingung eines Kreisels.

Solange habe ich schon vor, Dir von mir zu berichten und jetzt endlich habe ich mich dazu entschieden.

Vor zwei Jahren habe ich angefangen, Dir handschriftlich auf einem Notizblock alles aufzuschreiben, was sich da bei mir in meinem Innenleben und außerhalb in meinem vollständigen Leben so abspielt, es mit Dir zu teilen, es aus mir herauszulassen, es war wichtig für mich, nicht allein damit zu leben.

Dies war zu einem Zeitpunkt, als ich sehr viele neue tantrische, wie auch taoistische Atem- und Visualisierungs-Techniken, Praktiken und Übungen ausprobierte, übte und gleichzeitig integrierte und mich deswegen ein bisschen von der realen, materiellen Welt abschloss. Ich befand mich nach diesen regelmäßig praktizierten Ritualen in einem angenehm, schwebenden, langanhaltenden, veränderten, magischen Bewusstseinszustand, wie abgehoben, ein bisschen wie im high sein.

Eigentlich war dieses Verhalten bewusst gewählt, gewollt von mir, so eine Art Eigenschutz, da ich mich, während dieser ganzen unangenehm empfundenen Periode meines Lebens, dadurch in Harmonie mit mir und meiner äußeren Umwelt fühlte.

Keine oder nur sehr wenige qualvollen Emotionen drangen an die Oberfläche, nämlich genau diese, die dann natürlich immer meinen ganzen Tag beeinflussten, mich von meiner natürlichen Spontanität, meinem natürlichen Lebensfluss abhielten und mir buchstäblich die meisten meiner vielen Tage versauten.

Das war zu einem Zeitpunkt, als ich lernte, mit mir selbst wieder ins Reine zu kommen, meine dunklen Seiten zu erhellen und mich von meiner Abhängigkeit dem Mann gegenüber zurück zu meiner Autonomie und Selbstliebe zu begeben.

Also ich verliebte mich in einen sehr hübsch aussehenden Mann, auf den ersten Blick. So etwas ist mir vorher noch nie in meinem ganzen Leben passiert und ich habe diese paar sehr kurzen Wochen sehr intensiv erlebt und aufgeschrieben, bis die ganze Geschichte dann, so schnell wie sie angefangen hat, auch sofort wieder aus war. Meine emotionalen Leiden jedoch dauerten umso länger.

Ich litt sehr, folglich schrieb ich gar nicht mehr weiter, so enttäuscht und verletzt fühlte ich mich.

Ich war wütend auf das Leben, auf mich, auf das, was mir schon wieder widerfahren ist, auf die ganze Situation, die ich da aufs Neue anzog, dass mir das schon wieder passieren muss, warum immer mir?

Seit ich mich vor ungefähr vier Jahren von meiner großen Liebe, die eher sehr giftig, (aber auch gleichzeitig im-
mens heilsam, erwachend) für mich war, getrennt, befreit
und geheilt (glaube ich zumindest) habe, ist mir das schon
ein paarmal sehr ähnlich ergangen, als ob mich das Leben
testen wollte, so auf die Art: Voila, da schicken wir dir
noch einen schwierigen Fall, der zu knacken ist, schau mal,
ob du was dazu gelernt hast oder wieder in die Falle läufst!

Hier spreche ich von männlichen Bekanntschaften, die
mich auch auf gefühlsmäßiger und körperlicher Ebene an-
zogen. Die ganze Situation spielte sich mehrmals sonder-
lich und merkwürdig ab. Ich lernte einen Mann kennen, er
trat in mein Leben ein, meine Leidenschaft erwachte sofort, obwohl ich mich wirklich ernsthaft dagegen wehrte,
wir verbrachten einige kleine Momente miteinander und
hopp, plötzlich verschwand er auch wieder von der Bild-
fläche. Entweder lernte er plötzlich eine neue Frau kennen
und verliebte sich in sie oder er bekam Angst (welche,
weiß ich nicht) von mir oder vor ihm, oder er wollte nur
eine konventionelle, oberflächliche, sexuelle Beziehung,
ich aber nicht mehr, soviel habe ich schon brav von meiner
Vergangenheit gelernt!

Diese Erfahrung, meine neuen Bekanntschaften, männlichen Beziehungen mit Sex zu beginnen, um sie dann mit
diesem Zwangsmittel bei mir zu behalten, das habe ich
jahrelang ausprobiert, abgespielt, unbewusst natürlich,
ich hatte ja damals noch keine Ahnung, wie es anders
funktionieren könnte, einen Mann langfristig in meinem
Leben zu behalten, ich bekam ja keine mode d'emploi (Be-
dienungsanleitung) von meinen Eltern. Es passt einfach
nicht mehr zu meiner persönlichen Entwicklungsphase, in
der ich mich jetzt schon seit ein paar Jahren befinde.

In der Zwischenzeit, nach langen Phasen des Nicht-Bewusstseins und des Mich-nicht-Respektierens, mich nicht Liebens, habe ich mühsam, etappenweise gelernt, mich anzunehmen, schätzen zu erlernen, mich und meinen Körper lieben zu lernen, ihn wie einen heiligen Tempel zu behandeln, ich wünsche mir jetzt und in aller Ewigkeit, dass mich ein für mich in Frage kommender Partner auch so behandelt.

Und somit war keine der Bekanntschaften, die ich in dieser Periode machte, von Dauer. Mein affektives Abhängigkeits-Verhalten, das wurde doch noch immer geweckt und auf die Probe gestellt. Sobald die Person, die meine Leidenschaft zur Auferstehung brachte, nicht mehr mit mir den Kontakt pflegen wollte, ging mein himmelhoch-jauchzender Zustand in ein tief betrübtes Verhalten über. Diese Abhängigkeits-Periode dauerte unglaublich lange an, bis sich endlich dieses besessene, einsperrende Gefühl von „der andere fehlt mir so sehr, ohne ihn spüre ich keine Glückseligkeit", wieder legte. Ich konnte dann endlich wieder anfangen, mein Leben und mein, Tanja-alleine-mit-mir-sein, zu genießen, ohne auf seinen Anruf zu warten oder permanent zu hoffen, endlich ein paar Momente der Zweisamkeit mit ihm zu verbringen, um mein Leben intensiver spüren zu können, durch ihn, meine leere, affektive Seite zu ernähren.

Ich konnte lange Zeit das einfache, natürliche Leben nicht mehr genießen, ohne dieses Gefühl, Leidenschaft zu verspüren. Es war mir langweilig, nichts gefühlsmäßig Intensives spüren zu können, da mein früheres Leben lange anhaltend, sehr abwechslungsreich, ungezähmt, vollgefüllt, stressig und animiert war und ich Jahre brauchte, um mich davon zu entziehen, meine kompletten Zellen zu entgiften. Mich danach für ein neues Verhaltensmuster bewusst zu entscheiden, gleichzeitig zu lernen, sehr hart erlernen zu müssen, meine Sinnesorgane andersartig zu sensibilisieren, indem ich sie mit sanften, einfachen, natürlichem Leben heilsam ernährte, sie daran gewöhnte, Gefallen zu empfinden, an den Elementen, der Sonne, dem Meer, dem Wind, dem Wald, dem Regen, den hauchfein, anregenden, naturverbundenen Düften. Es war wie eine Therapie, eine Entzugstherapie sowohl für meine missbrauchten Sinnesorgane, als auch für meinen physisch angestrengten Körper, der jahrelang bioenergetische Methoden praktizieren musste, um den giftigen Stressmodus aus meinen Muskeln und Zellen zu befreien, der achtsam, liebende Streicheleinheiten von mir und unzählige, entspannende Massagen von Therapeuten bekam, um wieder neue liebevolle Informationen zu vermitteln.

Schade eigentlich, dass ich Dir während dieser Zeit nicht weiter berichtet habe, da dieser Abschnitt in meinem Leben sehr interessant war, aber so ist es nun mal, leider ist jedes Mal dieser innere Wille verschwunden, weiterzuschreiben, nachdem ich begonnen hatte, ich hoffe, dass der innere Impuls, Dir von mir zu berichten, diesmal länger andauert, wenigstens solange, bis genug Seiten vollgeschrieben sind. Es ist ja vielleicht auch ein Wegweiser für andere Wesen, auf der fundamentalen sich-selbst-lieben-Suche.

Weiß nicht einmal, wie viele Seiten ich Dir schreiben werde, wann ich damit aufhöre, kein Zwang diesmal, mich einfach nur gehen lassen, von meinem inneren Energiefluss, der natürlichen, intuitiven Dynamik, der inneren, instinktiven Leitung, wer oder was mich da begleitet, weiß ich auch nicht, aber ich werde geleitet, das spüre ich ganz stark.

Ich habe mich, kurz bevor ich die Tasten meines Computers berührt habe, körperlich und geistig einfach in eine stille Position begeben, mich mit dem Ewigen, Unendlichen verbunden und den Wunsch geäußert, geführt zu werden, bei diesem Schreiben, beim Dir-erzählen oder mitteilen, wie man es auch nennen will.

Die Überschrift kam zuerst auf französischer Sprache und danach erst auf Deutsch, aber ich fühle mich vertrauter, wenn ich meine Muttersprache Deutsch wähle, um mich mit Dir zu unterhalten.

Ja, und der Titel hat natürlich mit dem Inhalt, mit dem Weg auf der Suche nach meiner inneren Glückseligkeit zu tun, es ist mein Lebensweg, meine Lebensaufgabe geworden, nicht mehr mein wahres, inneres Glücksgefühl von äußeren Einflüssen abhängig zu machen.

Eine Suche, die ich schon vor langer Zeit begonnen habe, die Suche in mir, um mein Glücklich sein spüren zu können, und mich nicht mehr von einer äußeren Situation, Umgebung oder Person in meinem Leben abhängig zu machen, physisch, psychisch oder seelisch, meine ich.

Sehr oft täuschte ich mich. Es gab mehrere Personen, die in mir meine sonnig-strahlende Seite erweckten und mich danach wieder entweder enttäuschten, ausnutzten oder betrogen, die sich plötzlich wieder aus meinem Leben entfernten oder die ich verließ. Dadurch verschwand im Nachhinein mein Glückszustand und an seine Stelle trat ein großer, tiefer, endloser Schmerz, ein unbeschreibliches Leiden, das manchmal Jahre andauerte.

Diese unangenehmen Gefühle beherrschten mein tagtägliches Dasein und dann irgendwann löschte ich sie aus, damit ich es nicht mehr spüren musste, dieses Alleinsein, keine Lust, keinen Sinn mehr im Leben zu empfinden, an niemanden und an nichts mehr zu glauben, nichts mehr hoffen zu können.

Vor einer Stunde wusste ich ja noch nicht einmal, was genau ich Dir erzählen werde, was genau ich Dir schreiben werde, wie und womit ich anfangen soll, Dir von der Gegenwart oder der Vergangenheit zu berichten, von mir zu sprechen oder eine Figur zu erfinden, die Dir meine Geschichte erzählt, meine Lebensgeschichte mit Dir teilt.

Weiß ja immer noch nicht, was da herauskommen wird, wir werden es zusammen entdecken, bei jeder Zeile, die geschrieben, und jeder Seite, die umgeblättert wird.

Jedes Mal, wenn ich nachdenke, was ich Dir berichten soll, kommt da nichts, also wird diese Erzählung ohne meinen Verstand aufgezeichnet, einfach intuitiv von höheren Kräften, die durch mich wirken, geleitet, und ich werde sie anschließend mit ein bisschen Mind spontan in Form bringen.

Es ist so interessanter, authentischer, so fällt es mir auch leichter, mich Dir anzuvertrauen. Ja gewiss, ich hatte Hemmungen anzufangen, da ich mir vielleicht nicht genug vertraue, etwas so intim Vertrautes und für mich Wichtiges mit Dir zu teilen.

Mein Deutsch in der Schule war auch immer oder meistens mit einer Vier benotet worden und mein Vater unterstützte meine Geschwister und mich bedauerlicherweise nicht, uns auszudrücken, unsere Meinungen abzugeben, nachzudenken, in uns zu spüren, ja er sagte sogar einmal: „In euerm Alter hat man noch keine eigene Meinung, also hört zu, was ich zu sagen habe, haltet ihr schön den Mund und lernt daraus!"

Natürlich ist dadurch schon eine Blockade in mir entstanden, mich in dieses Abenteuer, Dir von mir zu erzählen, hineinzustürzen und die Suche nach meinem inneren Glück, mit Dir, den ich ja nicht einmal kenne, zu teilen, im Nachhinein eventuell, vielleicht auch noch die ganze Geschichte zu veröffentlichen, um andere Suchende zu inspirieren. Jetzt ist spontan deutlich die Angst vor jugement (Kritik, Beurteilung, Verurteilung) in mir zu spüren.

Innerlich freut es mich schon, mich Dir anzuvertrauen, aber irgendwie ist da auch eine Hemmung, eine Scham, dich in meine innere Welt reinschauen zu lassen, Angst vor Lächerlichkeit, Bedeutungslosigkeit, oder dass ich nicht die richtigen Worte, Vokabeln wähle, oder mich nicht so ausdrücke, dass es für dich verständlich ist, du mich möglicherweise für verrückt hältst, wegen meiner außergewöhnlichen, übersinnlichen, sensitiven Erlebnisse, okkulten Eindrücke und persönlichen ungewöhnlichen, metaphysischen Bewusstseins-Entwicklungs-Phasen.

Ich verspüre auch ein bisschen Angst in meiner Magengegend (Solar-Plexus Zone), dass ich durch meine Erzählungen bei Dir Missverständnisse und innerlich Chaos auslöse, nachdem ja bei mir in meinem Leben so schnell so viel passiert, zum Vorschein kommt und ich gar nicht so schnell schreiben kann, damit es verständlich für Dich bleibt.

Korrigieren kann ich ja dann später, relevant ist, dass aufgeschrieben wird, alles, was da so im Moment herauskommt. Also du liest jetzt die korrigierte Version!

Die Sprache steht schon fest, obwohl ich manche Wörter aus dem Französischen übersetzen muss, ich spreche seit fünfunddreißig Jahren nur noch Französisch, nachdem ich in diesem Land lebe seit ich 18 bin, verbunden mit ein paar anderweitigen Auslandsaufenthalten, sowohl in England als auch in Spanien, lebte ich doch die meiste Zeit meiner Existenz hier, zu Beginn dans (in) la Region du Gard, danach in den Pyreneen Orientales und später dans les Alpes Maritimes. Also, was ich erwähnen möchte, ist, es kommen da auch ein paar französische Ausdrücke und Satzformulierungen vor.

2. März - Côte d'Azur, Juan les Pins

Wo ich genau anfangen soll, ist mir noch nicht ganz klar, ich lasse mich leiten, wenn nichts kommt, dann mach ich eine Pause, bis wieder etwas kommt.

Ich habe ohnedies schon unbewusst, wenn ich jetzt so nachdenke, seit Jänner dieses Jahres damit angefangen, meine Erfahrungen, Erzählungen meiner Vergangenheit, Einblicke meines Lebens, Eindrücke, Taten, Gedanken, Gefühle, Empfindungen und Wünsche aufzuschreiben und zu teilen. Damals begann dieses Bedürfnis mit meinem lieben Jugendfreund, meiner verflossenen Jugendliebe.

(Hier zu Beginn meines Tagebuches findest du die Kopien meiner Mails an ihn) Als ich siebzehn Jahre alt war, erlebte ich eine kurze, aber signifikante Beziehung mit ihm, seitdem pflegten wir keinen Kontakt mehr miteinander. Nach dreißig Jahren hat er mir jedoch wieder eine Nachricht geschrieben, und zwar über Facebook, zum Glück gibt es dieses soziale Netz …, oder auch nicht, du wirst bald verstehen, warum!

Nach unserem Treffen verspürte ich die dringende Notwendigkeit, ihm zu schreiben, mich wieder mit ihm zu verbinden, mit ihm in Kontakt zu bleiben und dies tat ich dann auch. Ich schickte ihm sehr lange und ausführliche Mails, sehr intime noch dazu, ohne dass er mir antwortete, außer ein paar sehr kurze Zeilen, in denen er mir über sein depressives Empfinden berichtete, dass sein Herz verletzt sei. Er motivierte und lud mich jedoch andauernd ein, ihm weiter zu berichten und schrieb, dass er sich über jede Nachricht von mir freue, auch wenn er noch nicht antworten oder zurückschreiben könne.

Bis eines Tages mein Wille, ihm weiter von mir zu erzählen, ohne eine schriftliche Antwort, oder physischen Austausch mit ihm, zu Ende ging.

Ich habe aber bemerkt, dass wenn ich ihm nicht schreibe, ich tagsüber mit ihm redete, ihm berichtete, was in mir kontinuierlich vorgeht, mein alltäglich Erlebtes, neu erfahrene Erkenntnisse, meine Ideen, Gedanken, Emotionen, Gefühle, Wünsche, Bedürfnisse, Ängste, Befürchtungen mitteilte und habe also entschieden, diese Energie, die sich da tagtäglich an die Oberfläche drängte, andersartig auszudrücken.

Berichten ja, aber nicht mehr über den Weg der Mails an ihn, nein c'est fini (zu Ende), sondern ab jetzt, mich Dir anzuvertrauen und Dir zu schreiben, wer immer du auch bist.

Aber vielleicht schreibe ich ja auch an mich selbst, im Absoluten bist Du ja ich, wenn es die Einheit ja wirklich gibt und wir alle gleich sind, und Gott die unendliche Energie der Verbundenheit mit Allem ist. Die Union, das Eins ist.

Danke an meinen Jugendfreund, der mir unbewusst, durch sein verletzendes Verhalten diese Möglichkeit gegeben hat.

Dann setze ich mich still vor meine Tastatur, schließe die Augen, spüre den Energiestrom der durch meinen Körper fließt, der sich unverzüglich bewegt, leicht fließend, spürbar in mir, wie eine Welle, kommt er zart schwingend durch meine Fingerspitzen auf den Tasten zum Ausdruck, es ist außerordentlich, interessant, aufregend und das erste Mal, dass ich dieses Gefühl erlebe.

Ich bin mit meinem ganzen Körper verbunden und nehme diesen Energiefluss wahr, wie ein überwältigendes, sanftes, kribbelndes Streicheln, das mich bis zu meinen Zehenspitzen hin durchströmt. Es fühlt sich im ganzen Körper wie ein Gefühl des leichten Beschwipst seins an, es durchdringt mich, tanzt mit mir, nimmt mich mit auf seine Reise, wo immer sie mich hinführt, ich bin Eins mit diesem Fluss und ich schreibe.

***Ich stehe in Verbindung mit meinem höheren Selbst, mit meiner überirdischen Kraft, die sich durch mich - Tanja - ausdrückt, mich als Werkzeug verwendet, der universellen Energie, oder der unendlichen Intelligenz, wie man es nennen möchte, dem Kosmos, der Quelle, wo alle Informationen gespeichert sind, des bewussten Seins, dem Ursprung, der Einheit, dem Höheren, Gott, dem Leben, wie es meine Mama nennt, das, was nicht vom mentalen Verstehen kommt, sondern intuitiv von einer anderen Quelle, von einer anderen Dimension, sich über meine Sinne und durch meinen physischen Körper ausdrückt, als Form, hier in der materiellen, dreidimensionalen Ebene verkörpert, durch die Materie in Erscheinung tritt.

Mein Mentales, die Mind sind meine Gedanken, die nur auf Erlebtem, auf Erfahrungen basiert sind, doch wenn ich meine Konzentration auf meine Sinne richte, mich absolut und mein Umfeld widerspruchs- und erwartungslos spüre, mich auf meine vollkommene Atmung oder auf den mich sanft animierenden Energiefluss, den ich wahrnehmen kann, konzentriere, dann erscheint etwas anderes. Raum wird gemacht, um etwas undefinierbares, überirdisches Neues zuzulassen, das völlig über mein Verstehen geht, etwas Größeres, Unendlich, Unerwartetes.

Ich spüre dann eine unbeschränkte Leere, eine unendliche Stille, die aber nicht wirklich still ist, es ist ein ganz sanftes Brausen in meinen Ohren, das ich schwach wahrnehmen kann, es ist diese immense innerliche Stille und es ist dann so, dass ich nicht mehr nachdenken muss, was ich schreibe, es kommt unvermittelt, intuitiv, einfach so über meine Finger, als ob ich mich in einem Trancezustand befinden würde und Klavier spiele, ohne Noten. Die Musik des unendlichen Wissens möchte sich durch mich ausdrücken.

Diese tagtäglichen Berichte, die ich Dir von meiner außergewöhnlichen Reise nach meinem inneren Glücklich-Sein erzähle, sollen für Dich leicht lesbar und verständlich sein, nicht zu okkult, abgehoben. Du kannst es lesen und dich damit vielleicht identifizieren, es als Leitfaden verwenden, als Wegweiser, oder aber auch als Unterlage, als Spiegelbild, möglicherweise manche Erfahrungen als mode d'emploi (Gebrauchsanweisung) aber bitte spüre auf jeden Fall zuerst ob es sich gut für dich anfühlt, um dein eigenes, inneres Glück zu finden, in Dir drinnen zu spüren, dich mit deinem inneren Glücksgefühl verbinden zu können, es ist ja sowieso schon in Dir vorhanden, Du brauchst es nicht mehr überall in der Außenwelt dein Leben lang vergebens zu suchen.

Ich gebe mir Mühe, für diese Berichte eine lesbare Schrift mit verständlichen Wörtern und Sätzen zu verwenden, damit es für Dich begreiflich und unkompliziert ist.

Dieses innere Glück zu spüren, das ohne äußere Reize und Illusionen in Dir existiert, vielleicht hast du ja schon diese Erfahrung machen können! Ich leider nur, wenn äußere Herausforderungen es ausgelöst haben, wie etwa: Erwartungen, Träume, noch nicht erfüllte Zukunftswünsche, Menschen, meistens wenn ich in einen Mann verliebt war, oder die Hoffnung hegte, er habe Gefühle für mich und erwidere die meinen oder wenn ich mir fest wünschte, materielle Dinge zu bekommen, oder eine aufreizende, mit intensiven Sinneseindruck verbundene Erfahrung erlebte oder leidenschaftliche Situation in meinem Leben, wie eine neue berufliche Stelle erhoffte, herausfordernde Unternehmen gründete oder eine aufregende, abenteuerliche Reise geschenkt bekam, auf ein romantisches Wochenende eingeladen wurde, und so weiter ...

Aber dieses berauschend intensive Gefühl, ohne diese unzähligen, äußerlichen Reiz-Faktoren meiner multiplen Kompensationen zu spüren, sondern mich nur an einem einfachen Sonnenuntergang zu erfreuen oder dem Zwitschern der Vögel zu lauschen und mich damit beköstigen, in einem türkis-blauen See zu schwimmen und dies vollkommen zu genießen, mit all meinen Sinnen, einen lieb gewonnen Menschen zu umarmen und seinen warmen Körper zu spüren, beim Anblick eines Kindes oder eines Tieres, die instinktiv, hervorgerufenen, berührenden Gefühle zulassen zu können, mich am himmlischen Geruch einer Pflanze zu erfreuen – nein leider, das kenne ich nicht, das ist mir neu.

Ich habe diese tiefen Glücksgefühle, die manche Leute kennen, ohne intensive Herausforderung, oder euphorischen Erlebnissen leider noch nicht spüren können, zumindest nicht die, die ich in diesen oben genannten Beispielen erwähne. Das lerne ich jetzt zu spüren, die Natur ist meine neue Lebens-Schule.

Aber es gab während dieser Epoche ein angenehmes Gefühl, ein Empfinden das ich gerne hatte, welches nicht von äußeren Umständen abhing und wenn ich mich in einer tiefen Phase meiner Meditation befand, war da eher ein friedlicher Zustand von Harmonie und unendlicher Stille, aber ich verspürte kein intensives Lebens- oder überglücklich-sein-Gefühl dabei, das ich bis jetzt nur von extremen, intensiven, externen Erregungsfaktoren kenne.

5. März - Juan les Pins

Heute in der Früh, als ich aufstand, noch bevor ich wie eine Verrückte – wie immer von meiner aktiven Energie geleitet – schnell hochspringe, sofort ferngesteuert in die Küche renne, Wasser mit Zitrone und gingembre (Ingwer) erwärme, anschließend meinen geliebten Chicorée-Kaffee mit Reismilch oder ähnlichen Flüssigkeiten, die nicht Milch sind, so aussehen, aber nicht danach schmecken zubereite, den ich dann schnell und hastig zu mir nehme und mich von hunderttausend, kunterbunten Gedanken durchdringen lasse, die mich total von meiner Gegenwart wegbringen, beschloss ich, mich heute bewusst anders zu verhalten.

Diesmal aber setze ich mein Gelerntes in Tat um, lege mich wieder bewusst zurück auf meine Matratze und spüre, dass ich mit meinem physischen Körper existiere und mich mit ihm im Ganzen wahrnehmen kann. Anschließend setze ich mich langsam, bewusst auf den Bettrand, meine Füße stehen auf dem kalten Fußboden und mein Popo und meine Schenkel bleiben sanft auf der weichen Matratze, die noch warm ist. Ich spüre meine Haut, meine inneren Organe leben, meinen Atemzug, mein Herz pochen, höre die unmittelbaren Geräusche, rieche den Geruch der frischen Morgenluft, nehme bewusst wahr, was sich in der unmittelbaren Umgebung meines Schlafzimmers befindet.

Ich beobachte meinen enthüllten, niedergelassenen Körper, meine Gefühle, Emotionen, Sinneswahrnehmungen ob da etwas gespürt werden kann, ob irgendetwas an das Tageslicht treten will, um sich auszudrücken. Und wirklich, da ist dieses Empfinden, das ich zu gut kenne, das ich jetzt schon jahrelang mit mir rumschleppe, ich spüre es meistens morgens, wenn ich aufstehen muss und es ein ganz normaler Arbeitstag ist, also kein Feiertag oder Wochenende, dieses Gefühl, keine Lust zu haben aufzustehen, keinen Grund dazu zu haben, keinen Sinn, kein Ziel, keine Motivation, den Tag zu beginnen. Keine innere Lebensenergie, die sich in der externen Welt ausdrücken wlll.

Dann kommen auch diese Gedankenflüsse wieder und was da alles noch erledigt, gemacht werden muss, alles Unangenehme kommt mir dann zu Bewusstsein. Zum Beispiel die Frage nach dem Grund dieser miserablen, unbehaglichen, schweren und ständig wiederkehrenden Gemütsbewegungen, woher sie nur kommen, wie lange sie wohl noch ihr Unwesen bei mir treiben wollen und so weiter und sofort, es wird dann immer schlimmer, also versuche ich zu flüchten, indem ich meinen täglichen Aufgaben nachgehe, blind betäubt, manchmal fliehend um nur ja nicht zu spüren, oder irgendetwas in der Richtung zu empfinden, oder zuzulassen, was sich da so unangenehm anfühlt, ohne es auch nur irgendwie benennen zu können.

Also diesmal verhalte ich mich bewusst anders, rücksichtsvoller, empfänglicher, nicht wie gewohnt. Ich benehme mich, wie ich es gelernt habe. Ich bleibe in dieser Position auf meinem Bett sitzen und lasse hochkommen, was da so an die Oberfläche treten will, ohne zu analysieren. Ich spüre, fühle mich direkt hinein, beobachte und gebe diesem unangenehmen Gefühl und den damit verbundenen Gedanken ihren respektiven Platz und ihnen damit die Möglichkeit, sich auszudrücken, zu existieren.

Ich spüre in meinem physischen, emotionalen und energetischen Körper, wie es sich anfühlt, in welcher Form sich die energetischen Schwingungen, der Empfindungen äußern möchten, und ich lasse es geschehen, alles ist ok, dann kommen Tränen und gleichzeitig steigt Traurigkeit in mir auf.

Ich lasse es ebenfalls zu und sofort drücken sich verschiedene Gedanken nacheinander in meinem Gehirn herum, stehen Schlange, sie alle wollen diese Gefühle und diese Traurigkeit ernähren, sie analysieren, sie verstehen, den Grund ihres Daseins wissen und ihnen ein Recht zu existieren geben, unverzüglich die Verantwortlichen suchen, die in mir diese Traurigkeit ausgelöst haben, sie anklagen, sie verurteilen.

Aber ich bleibe vigilante (vorsichtig) und erlaube es nicht mehr, so wie ich es gewohnt bin, da einen Film abspielen zu lassen, über irgendwelchen Traumata, die ich erlebt, oder so empfunden habe in meiner Kindheit und den Schuldigen, sonst gibt es kein Ende und mein Tag ist total versaut und das schon morgens. Nein, nein, will nicht mehr darunter leiden. Schluss, aus jetzt erlebe ich es anders.

Dann nehme ich mich in meine beiden Arme, umschlinge mich und rede mit mir wie mit einem kleinen Kind, tröste mich und diese Energieform, die soeben hochkam, verlässt mich von allein wieder, so schnell, wie sie gekommen ist.

Aber das Schlimmste sind meine Gedanken, die wollen Nahrung und alles verstehen können, fangen wieder an, ungeduldig zu werden, sie wollen weiterhin existieren und Antworten bekommen. Nein diesmal, heute nicht!

Sie wollen an meine Vergangenheit oder an traurige Erinnerungen denken und Emotionen erwecken, sich damit nähren, es ist unfassbar, wie schnell, unkontrolliert und automatisch dies vor sich geht, und das alles schon beim Aufstehen.

Es braucht sehr viel von meiner Beherztheit, meines Wohlwollens und meiner Entschlossenheit, diese Gedanken nicht wild laufen zu lassen, sonst herrscht gleich wieder das Chaos und so konzentriere ich mich auf meine Atmung.

Das hilft mir immer, weg von diesen ungezügelten Vorstellungen zu kommen, die nichts anderes tun, als unüberschaubar verwirrende Gedankenmuster hervorzurufen und nachträglich die dazugehörigen Emotionen in mir zu erwecken. Es ist wie der Hamster in seinem Rad, ohne Ende geht's im Kreis herum.

10. März - Juan les Pins

Die Suche nach meinem inneren Glück bewegt mich schon seit langer Zeit. Diese Suche hat angefangen, als ich mir über meine vielen Kompensationen bewusst wurde und erkannte, dass diese nur aus dem Grund in meinem Leben aufrechterhalten wurden, um als Masken, als Schutz für meine unterbewussten, unangenehmen, versteckten, von mir noch nicht erkannten Eigenschaften zu fungieren, um diese zu betäuben und abzudecken, sie zum Verstummen zu bringen, nur nichts spüren.

Ich fing dann irgendwann an, eine nach der anderen mit reichlich Aufwand und viel Mut aus meinem Leben zu schaffen, sie nicht mehr zu ernähren, sie nicht mehr als Ausgleich für meine nicht akzeptablen Schattenseiten zu verwenden.

Ja, ich wünschte mir vom Herzen, sie abzuschaffen – falls ich da von abschaffen reden kann – ich merkte, dass man eine Sucht nicht einfach so aus seinem Leben verbannen kann, sonst erwacht eine der anderen Triebsüchte, die ja ohnedies schon alle in meinem Inneren existieren und nur gespannt auf Abruf warten.

Ich wollte mir nicht mehr weh tun, mit giftigen Verhaltensformen mir selbst gegenüber und lernte langsam dieses Ausgleichverhalten, mit viel Eigenliebe anzunehmen.

Und in Zukunft allmählich meinen Drängen nicht mehr zu antworten und meine Konzentration auf andere Interessensgebiete zu lenken, was für meinen Körper, Geist und Seele gesünder und willkommener ist.

Anfangs habe ich jedoch feststellen müssen, dass je weniger ich in eine Sucht flüchte und fast nicht mehr kompensiere, ich keine Genugtuung in meinem alltäglichen Leben verspüre, keine Hochstimmungen, keine auch nur klitzekleine Glücksgefühle mehr empfinden kann, dass mir meine ganzen Ablenkungsmanöver nur den oberflächlichen Eindruck vermittelten, glücklich zu sein. Da von mir fast keine Sucht mehr ernährt wird, die mir den Anschein gibt, intensive Sinnesempfindungen zu verspüren, begann ich mich zu langweilen, das Leben erschien mir fad, leer, sinnlos.

Was nun? Ich verspürte nur noch Leere, ... auch nach langen bewussten, natürlichen Ernährungs-Lernphasen mit Mutter Natur, verschiedenen Heilmethoden, wie Sinneserwachungs-Praktiken, der Lehre persönliche Wunscherfüllungen verwirklichen, um meinen Körper, Geist und Seele mit gesunden, belebenden Möglichkeiten zu helfen, wie mit unzähligen Meditations-Atmungs-Visualisierungs- und Relaxations-Methoden und so weiter und so fort. Es blieb jedoch eine große seelische Wüste, ich war unglücklich, depressiv und fühlte mich alleine.

Nichts und keiner konnte mir helfen, ich mir auch nicht!

Nicht eine dieser heilsamen, täglich angewandten intensiven, langwierigen Praktiken konnte meinen Körper, der ja jahrelang etwas anderes gewöhnt war, befriedigen, meine innere Sucht nach extremem Empfinden, meinen Spüren-Wollen-Wunsch stillen.

Ich setzte meinen Körper gezwungenermaßen einer Entziehungskur aus:

Keine Zigaretten mehr rauchen, kein oder fast keinen Alkohol mehr trinken, der mir den Eindruck gab, die Stärkste, Hübscheste, bei allen Beliebteste, Geliebte, Intelligenteste, Beste, Begehrenswerteste, Redegewandteste, Einfallsreichste zu sein. Kein intensiver, spontaner, lustvoller animalischer Sex mehr, der nur dazu diente, Macht und Kontrolle über Männer auszuüben, damit sie mir nie wieder weh tun könnten, sie dadurch unbewusst an mich zu binden, um mir gleichzeitig die illusorische Sicherheit zu geben, dass sie von mir abhängig sind und sie mich nicht verlassen, mich immerzu brauchen, mich nie mehr betrügen werden.

Während dieser Selbstliebe-Entwicklungsphase lernte ich auch, mich nicht mehr in oberflächliche Männerbekanntschaften zu verlieren. Diese dienten mir ja nur dazu, mir nicht näherzutreten, damit meine nicht so hübschen Seiten wie unzählige, mir unbekannte Ängste, verschiedene, multiplen Schwächen, wenig oder kein Selbstvertrauen, meine Unliebe zu mir selbst, meine Wissenslücken, meine Kommunikationsschwäche, meine Unkultiviertheit, meine Kontaktunfähigkeit, meine Partnerschafts-Phobien und viele weitere in mir schlummernde, versteckte, mir noch nicht alle bekannte Defizite, ungünstige Aspekte, nicht entdeckt werden können. Auf keinen Fall an die Oberfläche dringen, bitte nur ja nicht, damit ich mein ganzes jahrelang aufgebautes, starkes, selbstbewusstes Bild von mir weiter aufrechterhalten kann.

Mein Trieb zwang mich, unnötig Geld auszugeben, um mir teure Markenwaren zuzulegen, immer mehr Kleider, noch mehr Schuhe, größere Apartments oder sogar Häuser zu mieten, obwohl ich nur zu zweit mit Sohnemann war. Immer mehr neue Unternehmen zu gründen, die nicht zu meinen finanziellen Verhältnissen und auch nicht zu meinen Fähigkeiten passen, tägliches Ausgehen, prunkvolle Partys feiern, Leute einladen, Bars, Tanzlokale, Restaurants besuchen, mir ständig Gelegenheiten suchen, um mich zu vergnügen, mich abzulenken, mich oberflächlich voll zu füllen, mit tanzen, trinken, rauchen, arbeiten, erscheinen, bewundert werden, weiter und immer weiter ohne Ende …

Dieses nichtexistierende, unnatürliche Selbstbewusstsein wurde illusorisch auf diese Weise lange Jahre hindurch aufgebaut.

Unter anderem wurden mein angeschlagenes Selbstvertrauen und Selbstwertgefühl auch mit der Gründung von einigen Gewerben ausgeglichen und der Erschaffung zahlreicher, neuen Projekt-Ideen, die unbedingt verwirklicht werden mussten.

Anschließend an diese euphorische Phase jedoch, kam die große Langeweile, abermals wurde eine neue Erfindung und noch ein Unternehmen gegründet, um sich nach einiger Zeit wiederum zu ennuyieren (langweilen) und nochmals musste ich erst diese innere Leere spüren, um wieder etwas Neues anfangen zu können.

Dazu habe ich jedes Mal, die jeweils dazu passenden Menschen, Orte, Objekte und Situationen angezogen, die mir dann die Möglichkeit gaben, meine diversen Wunsch-Projekte zu gründen, zu realisieren, perfekt, damit ich meine diversen, künstlichen Rollen abspielen konnte, um nur ja nicht mein katastrophales Innenleben zu spüren. Kein anderer darf es jäh zu Gesicht bekommen, nur verstecken, unterdrücken, nur nicht zulassen, dass irgendetwas davon an die Oberfläche dringt.

Fast alle meine Unternehmen, Errungenschaften und Schöpfungen endeten mit einem nicht erfolgreichen Ausgang auf beruflicher und persönlicher Ebene.

Meine erste Depression spürte ich nach der Geburt meines lieben Sohnes, die mit einem schmerzvollen Kaiserschnitt endete, als ich gerade dreißig Jahre wurde.

Ich hatte zwanzig Kilos zugenommen, was für mich viel zu viel war. Ich, die immer auf ihre Linie aufgepasst hat, stets wenig gegessen, keinen Zucker zu sich genommen hat, weder Brot noch Kuchen aß, viel geraucht, viel beruflichen und privaten Stress erlebt hat, reichlich Bewegung gewohnt war. Dadurch hatte ich immer meine super Linie halten können und plötzlich war mein Körper entstellt. Es war eine Katastrophe passiert, keine Kleider passten mehr, meine falsche Identität, die ich mir durch mein Aussehen jahrelang, mühevoll, und eisern erschaffen, sowohl auch ständig aufrecht gehalten habe, war verschwunden. Ich wusste nicht mehr, wer ich bin.

Mein Hormonhaushalt war auch ganz durcheinander und die makellosen Rollen, die ich mir zugelegt habe, um jeden und natürlich zuerst mich selbst zu täuschen, um von der Außenwelt akzeptiert und geliebt zu werden, fielen. Der Baby-Blues kam unangemeldet über mich und hielte mich in seinem Bann gefangen.

Jetzt war da auch noch ein neues Leben in meinem Leben, um das ich mich kümmern musste, wieder eine neue Aufgabe, eine neue Herausforderung und wieder keine Zeit, mich um mich zu kümmern, in mich zu hören, da war jemand, ein neues Lebewesen, ein Teil von mir, unschuldig, lebendig, er brauchte mich bedingungslos, meine ganze Aufmerksamkeit.

Diese neue Situation gab mir erneut die Möglichkeit beschäftigt zu sein, und zwar ganztags, halb Sohn und halb mein Geschäft. Urlaub gab es nicht, war nicht daran zu denken, wieder voll eingesetzt und weiter ging es mit meinem bisherigen Leben, Aktion, Stress, Kompensationen, Autodestruktion und so weiter, …

Das Rauchen beendete ich zu meinem großen Glück, zu diesem Zeitpunkt, was für meinen Sohn und mich sehr positiv war.

Je weiter ich ging, desto dicker wurde meine Schutzwand, meine Rüstung, ja nichts spüren, nur weiter überleben, kämpfen, existieren, leben wie alle anderen, die gleichen oder ähnlichen Rollen in diversen Theaterstücken weiter spielen, den vielfältigen Situationen, die da dauernd auf mich eindringen, Herr sein, wie ein Roboter problemlos, funktionieren, herrschen und alles unter Kontrolle haben.

31. März - Donnerstag

Mein Hals ist schmerzhaft zugeschnürt. Meine ganze Energie ist in meinem Körper auf Hochtouren, sie bewegt sich in allen Teilen, es fühlt sich an wie Champagnerbläschen, die auf und abtanzen. Ich kann auch mein Wurzelchakra (Energierad in der Steißbein-Gegend) ganz stark spüren, es ist wie erweckt, aber mein Halschakra ist irgendwie störend, drückend, unangenehm.

Wenn ich mich auf diese Gegend konzentriere, ist es, als ob ich keine Luft mehr bekomme, ähnlich, als ob mir jemand die Kehle zudrückt, ganz langsam, und ein kleiner Luftstrahl kommt durch, gerade genug, um zu überleben.

Habe verschiedene administrative Erledigungen machen müssen und, na ja, Du weißt, wie es ist, wenn man da beginnt, die Nummer einer Amtsstelle zu wählen, warten muss, bis da endlich einer nach langer Ungeduld abhebt und sie dann noch von dir verlangen, Briefe zu schreiben, noch schlimmer, irgendwelche Dokumente zusammenzusuchen, sie auch noch zu kopieren (ich habe aber keinen Drucker) und zu verschicken. Dann muss ich noch schnell in die Mailbox und da ist auch noch eine wichtige Nachricht, auf die ich antworten muss, bedauerlicherweise funktioniert ein bestimmtes Computerprogramm nicht mehr, weil ich eines meiner unzähligen Passwörter vergessen habe, das Gerät beim Reparieren war und ihn drei Wochen nicht abgeholt habe und somit alle gespeicherten Passwörter, die im Gedächtnis des Computers still und brav jahrelang dort verharrten, jetzt natürlich nicht mehr vorhanden sind.

Schön durchatmen, ruhig bleiben, es gibt schlimmeres, das Leben ist schön, alles wird gut, ...

So, dann kommt mein lieber Sohnemann nach Hause und er will dann noch mit mir diskutieren und mir verschiedene neue Videos auf Facebook zeigen, obwohl ich mich innerlich schon auf meine regelmäßigen Erzählungen mit Dir vorbereitet und mich gefreut habe, endlich drauflos zu schreiben, es geht aber nicht, lieb und freundlich gebe ich ihm zu verstehen, dass ich jetzt nicht verfügbar bin und meine Aufmerksamkeit begonnen habe, auf etwas anderes zu lenken.

Er scheint aber meine Sprache nicht zu sprechen, da er mir weiter diese vielen verrückten Videos auf Facebook zeigt, dazu auch noch jedes einzelne eifrig kommentiert, also lege ich meinen Computer zur Seite, höre ihm zu und schaue, was er mir zeigen will, warte geduldig, bis ich endlich wieder Zeit für meinen geliebten Austausch mit Dir habe.

Ich muss da aufpassen, sonst wird das noch meine neue Droge, ha, ha, ha, ...

In der Zwischenzeit kommt da so ein Hungergefühl in meiner Magengegend auf, nachdem dies die erste und einzige Mahlzeit ist, die ich pro Tag zu mir nehme, also so um 18 Uhr herum, gehe ich in die Küche und erwärme mir eine Gemüsesuppe, bereite mir noch einen kleinen, schmackhaften Rohkostteller zu und genieße diese natürlichen Leibspeisen Gottes.

Danach geht es dann endlich weiter mit meinem Schreiben, aber da ist noch etwas das mich vom Weiterschreiben abhält. Ah ja, schon wieder mein Sohn, der auf eine Studentenfete gehen will und seine Kosmetikprodukte nicht finden kann, natürlich wie soll es anders sein, ist die schlimme Mama daran schuld, sie räumt ja alles immer weg. Pardon, versteckt immer alles, damit er sie nicht finden kann.

„Mama wo ist denn? ... Schon wieder hast du meine Sachen weggeräumt und ja jedes Mal nach einem deiner Kunden, die du massierst, finde ich meine persönlichen Gegenstände nicht mehr, die ich im Wohnzimmer (gleichzeitig meine Heil-Coaching und Massage-Praxis) liegengelassen habe!"

Komisch? Warum räumst du sie nicht selbst weg und lässt sie alle im Wohn-bzw., Arbeits- bzw., Massageraum stehen? Gibt es nur einen einzigen Spiegel im ganzen Appartement? Gibt es nur eine einzige Lichtquelle, mit einem einzigen Spiegel im ganzen Haus? Ich reagiere nicht und behalte es für mich!

Ich antworte nur mehr mit ja oder nein, keine Rechtfertigungen, keine weitschweifigen Erklärungen, Entschuldigungen mehr. Es nützt ja sowieso nichts, mein Sohn ist davon überzeugt, dass ich die böse Mama bin, die alles wegräumt, auch wenn er meist vergisst, wo er seine Sachen liegen gelassen hat.

Es ist interessant zu beobachten, wie man sich aus einer Auseinandersetzung ganz einfach heraushalten kann, sich mit diesem Verhalten schont und respektiert und den Mitmenschen eigentlich auch. Doch der andere will, lebt in seiner Geschichte weiter, erschafft und durchlebt die dazugehörigen, giftigen Emotionen, steigert sich in etwas Illusorisches hinein, nur seine eigene Wahrheit, die er sich so zusammenstellt und herbeiführt, sie noch dazu als einzig richtige erlebt und auch als alleinig existierende Wirklichkeit abstempelt.

Er hält dann an dieser, seiner imaginären, Irrealen Welt fest.

Das Ego ist schon sehr hartnäckig, mächtig und stark, es muss auch immer ernährt und bestätigt werden, na ja, sonst verliert es vielleicht an seiner Macht! Die Macht, die ich ihm ja schon jahrelang zuteile.

Ich trainiere seit einiger Zeit, stiller Zuschauer, Beobachter von solchen Konfliktsituationen zu sein, lerne, gefühlsmäßig nicht mehr hinein zu springen, mich nicht mehr in diesem egozentrischen Ping-Pong Spiel zu verlieren und antworte meinem Sohn sachlich und kurz, damit er sich nicht noch mehr aufregt. Ich erlebe diese Szenen jetzt eher als aktiver Zuschauer, als der unbewusste in meiner Rolle verletzte und verlorene Schauspieler zu sein.

Dieses Verhalten schont meinen physischen, emotionalen und geistigen Körper. Ich tue mir etwas Gutes und meinem Mitmenschen ja auch.

Er ist davon überzeugt, sowieso immer im Recht zu sein und so lasse ich ihn in seiner Glaubenswelt, er wird schon selbst erkennen, dass dies nur in seinem Universum die absolute Wahrheit ist.

Ich fühle mich dabei ausgeglichen und harmonisch, mit mir und meiner Umwelt, auch wenn ich noch manchmal dabei ein paar unangenehmen Gefühle verspüre, ist es momentan das für mich passende Verhalten, das ich da an den Tag lege.

Wenn der andere unbedingt seine diversen Rollen abspielen möchte und die dazu passenden Empfindungen erleben will, soll er, aber ohne mich, ich habe mich schon über lange Zeit selbst emotional vergiftet.

Jetzt ist aufpassen angesagt, lieb und respektvoll mit mir umgehen!

Nicht, dass ich perfekt bin und mich nicht mehr über Nichtigkeiten aufrege, nein, das noch nicht, leider, hätte es gerne schon so gehabt, aber es gibt immer mehr Situationen, da kann ich zum Glück Beobachter sein, und zwar ein ganz stiller.

Das ist dann sehr spannend, so wie im Kino, du siehst und hörst, wie sich dein Gegenüber in seiner Geschichte, als Akteur, sehr ernst verhält und seine Rolle unbewusst ausgezeichnet abspielt. Er kennt sie auch sehr gut, ich versuche, meine und seine Gefühle zu spüren und diese zu respektieren.

Es ist sonst sowieso wie im Kreis zu rennen, ohne Ende, jemand schmeißt mir eine Anklage zu und ich versuche mich diesbezüglich, sofort zu rechtfertigen, oder fühle mich dadurch angegriffen und verteidige mich. Früher bemerkte ich auch gleich mein Schuldgefühl und schämte mich dafür, oder flüchtete, wenn es unangenehm wurde, aber das kennst Du ja alles auch.

Wir funktionieren ja alle gleich, oder die meisten, falls wir uns darüber noch nicht bewusst sind.

Ja, und da gibt es eben diese einfache Übung, bei der ich mich selbst als stiller Zuschauer beobachte, von außen, und zwar bei unterschiedlichen Gelegenheiten, während

des Tages. Ich trainiere dabei wie bei einer neuen Sport-
art, stelle mir anfänglich vor, aus meinem Körper heraus-
zukommen und beobachte mich anschließend von oben,
von vorne oder von hinten, es ist am Anfang gar nicht so
einfach, aber mit der Zeit gewöhnte ich mich daran.

Nun kann ich bei Konfliktsituationen mein Verhalten
einfacher bewusst verändern, ich lasse mich nicht mehr so
schnell in dieses -mich rechtfertigen müssen um jeden
Preis Gefühl- hineinziehen, um im Nachhinein, das Ego-
Spiel mit meinen Mitmenschen zu treiben.

Interessant ist auch, auszuprobieren, diese Übung mit
sich selbst zu praktizieren und zwar mit seinen multiplen
Persönlichkeiten, in sich drinnen, du weißt eh, die vielen
verschiedenen Stimmen, die da in einem, tief im Inneren
sitzen und mit denen man drauf los diskutiert, wenn außerhalb kein Ansprechpartner vorhanden ist, diese Selbst-
gespräche sind endlos.

Jede Persönlichkeit, die in mir erschaffen wurde, hat
ihre eigene Meinung, jeder hat Recht und keiner hat Recht
und jedes Mal gibt es dazu eine passende Emotion, die im
Körper erscheint, hinterher gespeichert wird. Kommt Dir
bekannt vor, nicht wahr?

Mein Mentales hat eine unendliche Stärke sowie unglaublich viel Macht über mich entwickelt und wenn ich
als Wesens-Hauseigentümer nicht auf mich aufpasse,
dann kommen die Gedanken, wie kleine Teufelchen und
treiben ihr Unwesen.

Ich habe bemerkt, dass sich das, was in der Außenwelt
passiert, auch in meiner Innenwelt abspielt.

Also wenn ich wissen möchte, was ich da alles in mir, in
meinem Unterbewusstsein angesammelt habe, das auch

noch verantwortlich dafür ist, was ich in meinem näheren Umkreis anziehe, dann beobachte ich das Leben, dass sich da so vor meinen Augen, außerhalb von mir abspielt, schließlich erkenne ich, von diesem Spiegelbild, worüber ich mir über mich noch nicht bewusst bin, was da alles noch so drinnen ist, in den tiefsten, dunkelsten Ecken. Das kann sehr unerwartet unangenehme Gefühle auslösen, aber gleichzeitig auch angenehme.

April 2016

2. April - Samstagnachmittag

Hallo, wie geht's Dir? Ich bin wieder da, bei Dir, freue mich innigst mit Dir zu palabern (plaudern).

Bin mir noch immer nicht sicher, ob die Anrede Du oder ihr sein wird, also im Moment wähle ich Du.

Es gefällt mir jedenfalls mich, auf diese Weise auszudrücken, mich dadurch besser kennenzulernen. Bei meinem Jugendfreund habe ich nach einiger Zeit bemerkt, als ich von ihm fast keine Antworten auf meine sehr langen, ausführlichen, offenherzigen Mails bekam, was zu Beginn für mich ganz in Ordnung schien, dass mich das später aber störte, es fehlte mir, dass er mir nicht antwortet. Ich machte mich wieder einmal abhängig von jemand Außenstehenden, ich hatte Erwartungen ihm gegenüber.

Ich verlange nicht, dass er auf meine Mails unbedingt antwortet, ich möchte ihn nicht zwingen, etwas zu tun, dass er nicht von selbst auch wollte und diese Entscheidung ließ ich ihm offen, aber innerlich gewünscht habe ich es mir schon, dass er mir schreibt.

Aber dann später, fehlte mir eine Art der Kommunikation mit ihm, eine Weise des Austausches, ich wollte dann wissen, wie es ihm geht, was er so erlebt, welche Gefühle er für mich empfindet, und mir wurde darüber bewusst, dass ich ihn gerne wiedersehen würde.

Er konnte nicht antworten, außer mir mitteilen, er sei in einer depressiven Phase und sein Herz sei verschlossen, verletzt, und dann viel später habe ich festgestellt, dass ein Teil von mir diese Manier von Kontakt jedoch noch brauchte, ja, es ist einem Teil von mir, noch wichtig, zu wissen, was ich bei ihm auslöse.

Es ist der Wunsch, anerkannt zu werden, das Gefühl zu haben, ich existiere für ihn, ich bin ihm wichtig, jemand anderen etwas zu bedeuten, das kennst du ja auch!

Tatsächlich, manchmal während des Tages beobachtete ich mich und bemerke, dass ich mit ihm spreche, ich erzähle ihm, was ich tagtäglich unternehme oder fühle, ohne real mit ihm in Verbindung zu treten.

Dieses notwendige Bedürfnis, von mir zu erzählen, etwas aus mir herauszubringen, über meinen physischen Körper, in die materielle Welt, war für mich sehr notwendig, wie eine Art Therapie. Früher malte ich abstrakte Bilder mit Acrylfarben, um mein Innenleben nach außen zu bringen, oder fotografierte eine lange Zeit über, sehr unterschiedliche Objekte, eher intuitiv, spontan, Genre artistisch.

Ich fand dann diese neue Methode, mich auszudrücken, mich anzuvertrauen, mich zu äußern, Euch oder Dir von mir zu erzählen, sehr heilend und gleichzeitig enorm bereichernd für mich.

Dir oder Euch über meine persönliche Weiterentwicklung, über meine Sinnfindung, mein alltägliches Tun und Lassen zu berichten, sowohl meine Bewusstseinserkenntnisse, als auch meine ungewöhnlichen Erfahrungen, die ich ununterbrochen sammle, während meiner Reise, der Suche auf dem Weg zu meiner inneren Glückseligkeit, mit Dir zu teilen.

Auch wenn keine Antwort kommt, ist diese Weise mich auszudrücken, eine neue Lebensaufgabe für mich geworden, als ob ich ein Tagebuch schreiben würde, ich kann mich endlich jemand mitteilen, bin nicht mehr allein mit meinem verflochtenen Innenleben.

Ich gewöhne mich soeben daran, dass ich nur mit mir selbst kommuniziere, und dies gibt mir die Möglichkeit, verschiedene Erkenntnisse über meine Innenwelt zu machen, mir darüber bewusst zu werden, was da alles so in mir drinnen ist, wer ich bin, oder wer ich glaube zu sein, wie mein inneres, ach so komplexes System halt so funktioniert.

Mich Dir anzuvertrauen, meine regelmäßigen sehr persönlichen Berichterstattungen an dich, obwohl du ja keine mir bekannte Person bist, helfen mir gleichzeitig, nicht mehr meine triebhaft geleitete, affektive Abhängigkeit zu einem geliebten Mann zu ernähren.

Diese schriftliche Mitteilung gibt mir auch gleichzeitig die Gelegenheit, mir selbst zu genügen, für mich selbst zu existieren, unabhängig von der Außenwelt und ihrer Meinung, ihrem Urteil.

Meine Halsgegend tut mir immer noch ein bisschen weh, es fühlt sich trocken und leicht zugeschnürt an, ich bekomme weniger Luft als gewöhnlich, meine Lungen arbeiten wie auf Sparflamme, als ob ich unbewusst nicht das ganze Leben oder den vollendeten, gänzlichen Augenblick in mir aufnehmen möchte, einatmen möchte.

Diese sensations (Empfindungen) haben in dem Moment angefangen, als ich anfing energetisch zu reisen. Ich stelle mir dann vor, dass ich mit meinem feinstofflichen, schwingenden energetischen Körper zu einer bestimmten Person reise und dann tue ich das auch. Diesmal war ein inniger Wunsch zu spüren und zwar bei ihm in der Nähe zu sein, bei meinem Jugendfreund aus Wien, ich wollte wissen, wie es ihm geht und warum ich den unerklärlichen

Eindruck habe, er will mit mir keinen Kontakt mehr haben, was vielleicht der Wahrheit entspricht oder auch nicht, es ist nur ein Eindruck, ausgelöst von einem Gefühl das ich so spüre. Vielleicht ist es auch nur eine Supposition (Annahme).

Nachdem er sich mit mir nicht austauschen will, kann ich nur auf telepathischer Ebene spüren, wie es ihm geht, und das funktioniert so bei mir: Ich schließe die Augen und stelle mir vor, während einer tiefen Ausatmung, dass sich mein Energiekörper aus meinem physischen Wesen telepathisch zu einem anderen physischen Körper, transportiert und dann warte ich ein bisschen, bis ich subtile, unterschiedliche Empfindungen mit meinen Sinnen wahrnehmen kann.

Das letzte Mal, als ich bei meinem Jugendfreund auf telepathischen Besuch war, da war wirklich etwas ganz Eigenartiges zu spüren. Zuerst entstand das Gefühl, dass sich mein ganzer Körper ganz leicht und sanft schwingend dreht, wie in einem Tourbillon, einem Kreisel, als ob ich betrunken wäre und dann spürte ich über meinen sensitiven Körper seine physischen sensations, mein Herz raste plötzlich wie verrückt, danach nahm ich ein Drücken in der Halsgegend wahr, ein starkes Brennen auf der Zunge, anschließend ein stechendes, intensiv, prickelndes Gefühl und der Hals schnürte sich zu, die Luft konnte fast nicht mehr in meine Lungen fließen, sie waren eingedrückt und dann hob sich mein Vorderkörper ganz langsam nach vorne auf, beugte sich, als ob ich mich zuklappen wolle, wie ein Fisch, den man aus seinem Element holt und der sich windet, um zu überleben. Der Solar Plexus (Magengegend) war ganz zugeschnürt, als ob ich nichts mehr spüren, fühlen, fließen lassen wollte.

Keine Luft, kein Atmen und nichts mehr empfinden, kein Kommunizieren, nichts kommt mehr über meine Zunge, keine Worte können heraus, obwohl sie es wollen, ich lasse es nicht zu, einfach alles zurückhalten und zuschließen.

Es ging mir so eigenartig bei diesen verschiedenen Eindrücken, Empfindungen, die ich da spürte. Ich legte dann intuitiv meine Hände behutsam an meinem Körper, an verschiedenen Stellen, die ich spontan wahrnehmen konnte, um diverse energetische Blockaden zu lösen.

Nach einiger Zeit konnte ich fühlen, wie die Energiequelle wieder ins Strömen kam, wie mein Körper losließ, und ich plötzlich wieder harmonisch, fließend einatmen konnte, um Prana, Leben, Luft und Sauerstoff in die Lungen zu lassen. Aufmachen, das Leben einatmen und auch gleichzeitig alles wieder rauslassen, loslassen, einfach das Leben, leben lassen, fließen lassen, ohne es zu behindern, ...

Bei dieser intuitiv, telepathischen Energie-Harmonisier-Technik habe ich sehr viel gegähnt, (meine instinktive Weise, mich energetisch zu reinigen), es war auch ein Gefühl der Traurigkeit, das sich bemerkbar machte und herauswollte, aber nicht richtig konnte, als ob es unbewusst stark unterdrückt würde.

Tränen schossen in meine Augen, ich ließ es zu, ohne dabei Leid zu verspüren und unmittelbar war dieses Trauergefühl wieder verschwunden, es kam dann nochmal für ganz kurze Zeit und wieder verging es.

Nach dieser Quanten-Energie-Reinigung, die ich durch meinen Körper geschehen ließ, ging es mir wiederum behaglich, ich spürte erneut die energetisch, wellenartigen

Bewegungen harmonisch schwingen, diese unangenehmen Empfindungen in meinem physischen Körper verschwanden momentan.

Ich weiß nicht, ob ihm das geholfen hat, ob er irgendeine Veränderung wahrnehmen konnte oder nicht, aber für mich fühlte es sich ok an, der Verlauf dieses Freignisses ging intuitiv vor sich, ohne meinen persönlichen Willen, es fühlte sich richtig an, so als ob ich dabei geleitet wurde.

Seit ein paar Monaten haben sich überraschend verschiedene sonderbare Körperbewegungen und physische Verhaltens- und Ausdrucksformen bei mir bemerkbar gemacht, und zwar wenn ich in einen tiefen Zustand der Meditation gelangt bin. Ich habe gelernt, diese nicht mehr zu interpretieren und mein Mentales zur Seite zu legen, geschehen zu lassen, was an die Oberfläche treten möchte, nur einfach willkommen zu heißen und zu lassen, ein bewusstes Annehmen dieser Art des seelischen Ausdrucks.

Ich experimentiere tagtäglich, da ich ja keinen Meister in der physischen Welt habe, dem ich Fragen stellen kann, ist es wichtig, an mir selbst auszuprobieren, es ist dann wirklich nur ein geschehen und sich leiten lassen, vertrauen, präsent sein und sich fühlen.

Spüren, ob es richtig ist, ob diese Handlungen, dieses Gefühl vom Herzen geleitet wird, aber immer fühlt es sich richtig an.

Ich weiß nicht genau, inwieweit wir alle miteinander verbunden sind und auf welche Weise ich auf meiner heutigen Bewusstseins-Ebene dazu beitragen kann, meinen Mitmenschen beizustehen, sich besser zu fühlen, nachdem ich ja seit ein paar Monaten diese sensible Eigenschaft an mir entdeckt habe und immer sensibler, feinfühliger und ausgeglichener werde.

Ich erlebe unzählige, sehr unterschiedliche Erfahrungen in diesem Bereich und ich beobachte und verspüre natürlich, während meiner Massagen und dem Berühren meiner Kunden immer etwas Neues, einzigartig Mystisches.

Während der Heil-Sessions reagiert mein emotionaler, physischer und energetischer Körper ganz unterschiedlich, es ist immer wieder eine besondere Überraschung für mich, was da vor sich geht.

Bei dieser individuellen Berührungsmethode während meiner energetischen Heilmassagen ist es jedes Mal spannend sogar abenteuerlich für mich und ebenso für meine Mitmenschen. Wir sprechen nach jeder Session, was jeder dabei erlebt und gespürt hat.

Manchmal nehme ich Informationen, die für den Kunden bestimmt sind, über den Weg des telepathischen Kanals, Channel wahr und gebe diese dann weiter, wenn ich spüre, dass die Person diese Nachricht erhalten soll.

Ich teile diese Information dann mit ihm oder ihr, falls der Klient es wissen will, das frage ich schon vor der Behandlung.

Es hört sich vielleicht seltsam an, worüber ich Dir berichte, aber es ist eben eine Erzählung über meine spirituellen Erlebnisse und da gibt es keine Tabus, Limits, Einschränkungen und auch keine moralischen Grenzen.

Ich erlebe lediglich ein mich Erkennen, durch und mit dem anderen.

Natürlich ist auch mein innerer und äußerer Lebenswandel, meine tagtäglichen Körper-Atmung- und Visualisierungs-Praktiken und das, was ich früher schon alles an mir ausprobiert habe, damit es mir besser geht und ich ein ausgeglichenes Leben erfahren kann, ausschlaggebend dafür, was ich jetzt alles erlebe. Und nachdem ich eher autodidaktisch vorgehe, probiere ich das, was mich in meinem Inneren anspricht, auch aus. Ich versuche nicht mehr, Erklärungen mit meinem Mentalen zu finden, da dieser ja sowieso limitiert ist.

Ich brauche nur mein Gehirn stilllegen, indem ich mich auf meine Atmung oder auf meinen Energiefluss konzentriere, und es passiert von ganz allein, dass mein Körper verschiedene, unerwartete Bewegungen verursacht, ohne dass diese von meinem Willen gesteuert werden. Ich nenne das Connection, Verbindung mit etwas Starkem, Größerem, Unendlichem, Unkontrollierbarem, Undefinierbarem aber Richtigem, ich spüre, dass dieser magische Vorgang ok ist, man kann es unendliche Intelligenz oder Bewusstsein nennen, aber es geht über meinen Verstand hinaus.

Eine Vorgehensweise, die nicht erlernt werden kann, weil sie von innen kommt, und zwar wenn das Mentale ausgeknipst ist, nicht mehr dazwischenfunkt und somit die Verbindung mit dem Leben, dem Ganzen wahrgenommen werden kann.

Wenn ich nicht mehr nur mit meinem egozentrischen Willen alles kontrollieren möchte, handle, nicht mehr versuche, mich und meine Bewegungen zu steuern, was richtig zu tun sei und was nicht, dann spüre ich, ist es das Wahrhaftige.

Wenn ich keine Meinung mehr äußere, mir keine Fragen mehr stelle, ob etwas moralisch, richtig, akzeptabel ist, oder ob ich mit diesem Verhalten lächerlich erscheine, was die Leute von mir denken werden, was ich eigentlich durch diese Art von mir erschaffener Methode bewirke, dann weiß ich, es stimmt!

Natürlich war ich, als dieser seltsame Behandlungsablauf begann, auch überrascht, habe mich idiotisch empfunden und gedacht, mit welchem Recht kann ich mich so bei meinen Kunden verhalten, wieso benehme ich mich skurril, lache oder singe, während meiner Massage-Sessions, warum machen meine Hände, mein Kopf so komische, andersartige Bewegungen, warum blase ich plötzlich auf verschiedene Körperstellen meiner Kunden, woher kommen diese Bilder, Wörter, Sätze, Informationen in mein Gehirn, die in erster Linie nichts mit meiner Geschichte, der Gegenwart meines Lebens zu tun haben und von denen ich überzeugt spüre, dass ich diese Meldungen weitergeben soll, an die Person, die im Moment in meiner Gegenwart ist.

Warum zuckt oder vibriert automatisch, mein ganzer Körper, meine Füße oder Hände, wenn ich eine bestimmte Person berühre oder in ihrer Nähe bin? Alles Fragen ohne Antworten, aber es kommen immer mehr Leute zu meinen Massagen oder wollen eine Quantenheilung! Also habe ich die Gewissheit, dass mein Vorgehen anerkannt, gesegnet ist!

Es gibt vielleicht keine Antwort, na, ist ja auch nicht wichtig, ich habe erfahren und bin auf einer Bewusstseinsebene angekommen, wo ich nicht mehr alles mit meinem

Mentalen verstehen muss, eine Situation oder ein spontan, intuitiv, ausgelöstes Verhalten einfach empfangen, sie oder es bewusst erleben und die dadurch erzeugten Emotionen, Wahrnehmungen und Gedanken annehmen.

Ich habe auch bemerkt, dass wenn ich öfter meditiere, weg von dem Mentalen, hinein in das Fühlen gehe, wird meine Sensibilität immer mehr spürbar, ich erlebe dadurch sehr unerwartete, übernatürliche Erscheinungen wie Gedankenübertragung oder ich erhalte ein Bild in meiner Vision oder bekomme plötzlich eine Information, bezüglich einer bestimmten Situation, die sich in der Zukunft abspielt. Ich habe auch festgestellt, dass ich feinfühlig bin, wenn jemand mit mir spricht und der Inhalt seiner Aussage das Gegenteil davon ist, was ich in seiner Gegenwart verspüre, so als ob ich mir über eine andere Seite der Person bewusst wäre, das erkenne, was sich vielleicht in seinem unteren Bewusstsein oder seinem höheren Bewussten Sein abspielt, womöglich hinter seiner Maske.

Ich war heute bei meinem Osteopathen, da ich in meiner Sakral-Gegend (Steißbein), immer noch einen stechenden Schmerz verspüre, der manchmal vergeht, zeitweise nur ganz oberflächlich vorhanden ist und sich selten bemerkbar macht und dann wieder sehr gegenwärtig sein kann, noch dazu unangenehm schmerzt, so wie dieses Mal, seit ich von meinem Paris-Wochenende von einem Freund zurückgekommen bin.

Ich gehe regelmäßig einmal im Monat hin und das ist eine Weiterbildungsschule für Menschen, die sich als Osteopathen ausbilden möchten.

Eine junge Schülerin behandelt mich dort schon seit ungefähr einem Jahr.

Sie ist sehr feinfühlig und hilft mir jedes Mal, eine Blockade zu lösen, die gerade schmerzt, weil angeblich dieses Körperteil angespannt sei und nicht loslassen will. Die Schüler von dieser Schule, die sich um Patienten kümmern, sind schon im vorletzten oder im letzten Jahr ihrer Ausbildung, ein Professor kommt später während der Séance (Sitzung) hinzu, teilt seine Ratschläge oder nicht, je nachdem, ob der Schüler die richtige Diagnose gestellt hat und die dazugehörigen heilenden Griffe und Methoden angepasst hat.

Heute hat sie mich gebeten, mich auf ihre Hand zu setzen, in der Gegend meines Steißbeins, damit sich mein Körper selbst wieder reguliert, sich einpendelt. Danach wurden noch behutsam ein paar Muskelanspannungen aufgelöst, und zwar sowohl in meiner urogenitalen Zone als auch im Bereich des Diaphragmas und am Schädel.

Angeblich sind diese muskulären Anspannungen dafür verantwortlich, dass mein sacrum (Kreuzbein) und damit mein Becken, ins Ungleichgewicht gekommen ist und diese Berührungen helfen, es wieder ins Gleichgewicht zu bringen. Der Professor, der diesmal bei dieser Sitzung gegenwärtig war, versuchte mir zu erklären, dass diese Disharmonie möglicherweise von einer inneren, unbewussten Blockade ausgelöst wurde, dass ich mir diesbezüglich bestimmte Fragen, die meine Kindheit betreffen, stellen sollte. Jedoch möchte ich das alles nicht mehr durchkauen, ich habe mich schon viele Jahre intensiv damit auseinandergesetzt und jetzt will ich einfach nur mehr versuchen zu lernen, die Situation so wie sie gegenwärtig ist, anzunehmen, und gleichzeitig meinem physischen Körper dabei helfen, loszulassen.

Ich heiße alle diese spezifischen, alternativen Heilpraktiker, die mir weiterhelfen können, herzlich willkommen, nur kein Analysieren mehr, warum, woher, Mama, Papa, die Familiengeschichte, Transgenerationale Traumata-Übertragungen sowie das Kollektive Unbewusste, die ungelösten Kindheitstraumata, die unendlichen Karma-Auflösungen und so weiter und sofort. Alles nur Mentales Interpretieren und eine perfekte, richtige Antwort und die dazu passende Heil-Lösung gibt es sowieso nicht.

Es ist dann immer etwas Neues, das erscheint, ein weiteres Problem, das es zu lösen, zu verstehen gibt, ich habe mich schon jahrelang damit beschäftigt, es hinter mir, diesbezüglich schon unzählige Jahre mit Therapien, Analysieren, Selbstheilung, Workshops, Alternativ-Praktikanten, traditionelle Heilmediziner, Büchern zur Lehre spezifischer Selbstheil-Methoden und diversen Praktiken und Ärzten verbracht.

Eine Zeitlang war es für mich richtig, wichtig und notwendig, in meine Vergangenheit zurückzugehen, sie zu analysieren, anzunehmen, mir und ihr danach zu verzeihen, jetzt geht es aber weiter.

Nach vorne schauen, ich bin vielschichtig, multidimensional, verbunden mit allem, das Gedächtnis meiner Zellen ist ohnehin ein Fass ohne Boden, unendlich kann das weitergehen. Es ist alles sehr komplex und wenn ich dann etwas von meinem unvorteilhaften Vorgehen, in meinem Leben etwas zu Verstand gebracht habe, anschließend mein Handeln diesbezüglich vorteilhaft verändere, dann erscheint wieder eine neue disharmonische Situation, die ich auch wieder zu verstehen versuche, sie verändern möchte und so weiter und so fort, nur damit es mir im Nachhinein möglicherweise besser geht, ich mich wohler fühle.

Im Absoluten, wenn ich Gott oder das Unendliche, das Leben selbst bin, dann ist es logisch, dass ich mit jedem Menschen verbunden bin, all seinen Geschichten verkörpere, sie erlebe und spüre, du siehst, es ist unendlich, weil wir alle miteinander verbunden sind.

Also kann ich nur mein Herz öffnen und alles so annehmen, wie es ist.

14. April - Juan les Pins

Ja, da bin ich wieder, es stimmt ich habe mich schon seit einer Woche nicht mehr bei Dir gemeldet, ich hatte einfach nicht die Gelegenheit dazu, oder war zu müde, wenn die Möglichkeit bestand habe ich den Computer einfach nicht bei mir gehabt, das ist natürlich ein Problem, wenn man etwas zu erzählen hat und es fehlt am Schreibmaterial. Eigentlich blöd.

Ja, es war richtig aufschlussreich, was da heute vorgefallen ist, ich musste mein Auto zu meinem Mechaniker fahren, für ein paar kleine, aber notwendige Reparaturen, die schon lange fällig waren. Keine Werkstätte hat mir die gleiche Diagnose gestellt und letztendlich fand ich diese Auto-Werkstatt, deswegen hatte ich heute eine Stunde Zeit, mich in der Nähe dieser Garage aufzuhalten und herumzuschlendern, während ich auf mein repariertes Auto wartete.

In dieser Gegend gibt es nur Geschäftslokale, die Garage befindet sich in einer Art Industriezone, mit riesigen Einkaufshallen und ein paar Boutiquen.

Also, ich gehe da so spazieren, überlege, in welches Kaufhaus ich wohl hineinspazieren werde, um mir die Zeit zu vertreiben. Da war so ein Secondhand-Laden, für alle möglichen Sachen, aber spezialisiert auf Hi-Fi, Telefon und elektronische Artikel.

Ich fühlte mich irgendwie von diesem Geschäft angezogen, ging hinein, ohne genau zu wissen, was ich dort eigentlich wollte. Ich hätte auch in diese voluminöse Kleiderhalle für Designartikel gehen können, da mich diese Produkte eher anziehen als elektronische Hightech-Waren, aber eine innere Kraft hat mich da hinein bugsiert und da stand ich nun drinnen, ohne zu wissen welche Artikel genau ich mir anschauen werde.

Zuerst befand ich mich vor dieser Auslage mit Kameras, ich sah mich nach einem Objektiv für meinen Fotoapparat um, aber ich wusste nicht genau, welche Linse ich wirklich brauchte, dann schlenderte ich ein bisschen weiter, zu einem großen Korb mit Schutzhüllen für Handys und ich stöberte da so drin herum, probierte, welche dieser Hüllen für mein Handy passend wäre, leider waren alle zu klein und die Verkäuferin erklärte mir, dass mein Handy zu alt ist und es schwer sein wird, eine passende Schutzhülle dafür zu finden.

Ich spazierte weiter und schaute mir eine andere Auslage an, warum genau diese, weiß ich nicht, es waren Computer drinnen und ich brauche keinen, habe schon einen, der kam doch soeben von seiner Reparatur und diese hier waren noch dazu ziemlich teuer, fast der Preis eines neuen, kleineren Computers.

Ich schaute mich da weiter um und plötzlich kam spontan eine Idee, ohne dass da vorher irgendein mir bewusster Gedanke darüber verwendet wurde. Ich bräuchte eigentlich ein Gerät, um überall schreiben zu können, sobald in mir diese Schreiblust aufkommt, damit ich die Gelegenheit habe, meine Sätze, die da so plötzlich herauswollen, einfach auch herauszulassen, sie aufzuschreiben, aber nicht auf Zettel oder einen Block oder so, nein auf Informatik, einen kleinen handlichen Laptop, meiner war ja viel zu groß und zu schwer.

Ich weiß wirklich nicht mehr, wie es genau abgelaufen ist, in meinem Gehirn, aber ich sah einen kleinen Laptop abgepackt in einem Karton, der Preis war auch ok für meine Verhältnisse und als ich den Verkäufer, einen netten jungen Mann, fragte, ob ich damit mein Buch schreiben kann, war seine Antwort, nein, dieses Modell sei nur für Internet-Anschluss geeignet, für Mails oder um Musik zu hören, Filme könne ich mir auch anschauen, aber nicht schreiben.

Anschließend zeigte er mir dann noch ein paar andere Computer, kleine, praktische Ausführungen, zum Mitnehmen, aber doch zu groß für mich und zu teuer, ich habe ja schon einen zu Hause. Ich erklärte ihm, was ich damit vorhabe, also zeigte er mir Tablets, aber ich müsste mir eine Tastatur dazu kaufen, was den Preis ja auch wieder so um die hundert Euro erhöht, soviel war ich im Moment nicht bereit, dafür auszugeben.

Ich schaute weiter in dieser Vitrine herum, ob möglicherweise irgendein passendes Gerät für meine Bedürfnisse da auf mich wartete. Plötzlich fielen mein und sein Blick gleichzeitig auf einen kombinierten Apparat, präsentiert in einer Schutzhülle in Weiß, hübsch und praktisch, klein genug, um ihn überall mitzunehmen, groß genug, um damit zu schreiben. Der Kick war der Preis, der war so niedrig und zugleich so teuer, wie der Preis der Tastatur, die mir der Verkäufer vorher angeboten hatte.

Also das war natürlich ein Einkauf, den ich richtig nenne, im Einklang mit mir, meinen jetzigen Lebensumständen und dem Universum, denn als ich zahlen gehen wollte, fand ich zufällig einen größeren Geldschein in meinem Portemonnaie, den ich dort irgendwann als Notgroschen in ein Fach gesteckt und vergessen hatte.

Es war also wirklich alles perfekt, wie ich es nennen würde, es war so unendlich synchronisiert, wie es eben sein soll.

Alles, was sich in meinem Leben abspielt, hat immer seinen Sinn, das bemerke ich seit ein paar Jahren, auch wenn ich manche Situationen nicht besonders gern habe und sie mir eher auf die Nerven gehen oder sie mich sogar wütend stimmen, aber im Nachhinein oder auch erst sehr viel später, erkenne ich immer den Grund, den Sinn der Geschehnisse.

Alle Situationen, Erfahrungen, Aktionen, nicht-Aktionen, Zufälle, Gegebenheiten, Augenblicke in meinem Leben haben alle ihren Grund und hängen unmittelbar miteinander zusammen, sie sind untereinander verbunden, laufen orchestriert ab wie ein Film, in ihrer logischen, unendlichen, intelligenten, göttlichen Reihenfolge.

Jeder Augenblick ist mit dem nächsten verbunden, da ist eine Logik dahinter und wenn man die natürlichen Abläufe nicht mutwillig verändert, sondern sie einfach leben lässt, sie geschehen lässt, erlebt man Harmonie.

Nur als stiller Zeuge da sein, beobachten, selbst dem Augenblick zur Verfügung stehen und sich von dieser Energie sanft mitreißen und leiten lassen, dann bemerke ich, dass alles, was abläuft, Sinn und Zweck hat.

Genauso wie die Tiere, die sich ihrem natürlichen Lebensprozess hingeben, ohne sich dagegen zu wehren, oder die Natur, wie sie ihren alljährlichen, zeitlichen Veränderungen einfach unterliegt, ohne dagegen anzukämpfen, geschweige denn irgendwelche Emotionen zu erleben oder darunter zu leiden, Krieg diesbezüglich zu führen.

Es ist für sie natürlich, und sie beklagt sich nicht, wehrt sich nicht gegen den natürlichen Lebensablauf, dass jetzt plötzlich der Winter kommt und sie verwelkt und einfriert, dass es plötzlich heiß wird und sie austrocknet.

Wie gesagt, bei mir spielen sich diese Abläufe seit einiger Zeit, sehr bewusst und sehr deutlich, tagtäglich ab und ich stelle fest, dass sich alle meine Lebens-Situationen miteinander verbunden sind und einen Grund haben zu sein.

So zum Beispiel ist mir gestern auch wieder ein Vorfall passiert, der mich zuerst zornig gemacht hat, auch noch dazu sehr wütend, aber anschließend habe ich gemerkt, dass der eine Vorfall dazu da war, mich darauf aufmerksam zu machen, dass ich eine unbemerkte, vergessene Angelegenheit nicht abgeschlossen habe, da ich mich schon lange nicht mehr damit beschäftigt habe.

Es geht in diesem Fall um mein zweites Bankkonto, dass ich schon seit drei Jahren nicht mehr verwende.

Wie ich darauf gekommen bin? Ganz zufällig (Zufall gibt es ja ohnedies nicht), seit ein paar Monaten laufe ich einer Geldsumme hinterher, die mir meine Krankenversicherung zurückerstatten sollte. Am Anfang war da dieses lästige Herumschicken, der vielfältigen Kopien die von mir verlangt wurden, von uralten Rechnungen, die ich erst von den unzähligen Ordnern heraussuchen musste, die sich irgendwo, ganz oben in meinem Kastenregal befanden, und urschwer waren da runterzuholen, anschließend kam die gesamt, versendete Post wieder zurück, dann sollte ich angeblich diese Dokumente zur Adresse der Zusatzversicherung schicken, die mir wieder alles zurückschickten, mit der Antwort, sie seien nicht die richtige Stelle für die Zurückerstattung.

Na ja, so ging das eine Weile hin und her, bis ich irgendwann wieder anrief, um direkt diese haarsträubenden Missverständnisse aufzuklären, auch um meine précieux, (wertvolle) Zeit und Energie zu sparen.

Jedes Mal am Telefon erlebte ich unterschiedliche, sehr unangenehme und starke Emotionen in der Bauchgegend, im Solar Plexus, es waren Gereiztheit, Wut und Ungeduld, die da hochkamen. Aus diesem Grund sprach ich auch nicht sehr nett mit den Tele-Assistentinnen, anschließend musste ich auch noch ein telefonisches Rendezvous vereinbaren, diesmal mit einer Spezialistin in Sachen Gesundheitsversicherung, und so ging es weiter, da sollte ich nicht krank werden!

Um die Geschichte kurz zu halten, es ging dann soweit, dass ich herausfand, die Lösung aller Probleme stand auf ihrer Homepage, Rubrik Kundenbetreuung im Internet, meine Rückerstattungen, die meine Krankenversicherung ohnedies überwiesen hat, dass der erwartete Betrag, ja schon zurückerstattet wurde, jedoch zu meinem Erstaunen auf eines meiner anderen Bankkonten. Ja, da war die Antwort, es war noch ein angenehmer Betrag auf meinem alten Konto, das ich schon zur Vergangenheit zählte und mich damit gar nicht mehr auseinandergesetzt habe. Juhu, endlich wieder unerwartetes Geld, das zu mir kommt.

Und du siehst jetzt, was ich damit erzählen möchte, ich regte mich unnötig auf, obwohl mir diese Vorfälle die Möglichkeit gaben, wieder an mein Geld zu kommen und mein nicht mehr aktives, vergessenes Bankkonto jetzt endlich zu schließen, von dem jahrelang unnötige Verwaltungskosten abgebucht wurden.

16. April - Côte d'Azur

Ich sitze im Augenblick, in dem ich Dir schreibe, in der prallen Sonne am Strand, vor mir erstreckt sich behaglich das grün-blaue Meer, geschmückt mit ein paar kleinen silberglänzenden, tanzenden Wellchen, fast unscheinbar und friedlich schwimmen sie da so vor sich hin, Sonnensternchen reflektieren wie unzählige Diamanten, eine leichte Brise kommt auf mich zu und die schon sehr warme Sonne, wärmt meinen unbedeckten Körper angenehm.

Mehrere Kinder spielen mit sehr abwechslungsreichen, amüsanten Spielsachen, manche sind auch schon tapfer genug, um ins noch eher kühle Mittelmeer einzutauchen und sich darin fröhlich zu vergnügen. Unbefangen bewegen sie sich, sehr verspielt, ganz einfach unbekümmert, und sie erheitern sich unwillkürlich, natürlich.

Einige sportlich-rasante Motorboote vergnügen ein paar Touristen, die jetzt schon an der Côte d'Azur ihren Urlaub genießen, mit Wasserski fahren, Gummireifen ziehen und Fallschirm fliegen.

Ein paar Pärchen und wenige Familien liegen verstreut auf dem kleinen Sandstrand von Juan les Pins, fleißig bräunend, tanken die vielen Sonnenstrahlen nur so in sich hinein, als ob sie sie als Reserve mitnehmen wollten, wenn sie wieder in ihre bewölkten und vom Smog überdeckten Städte zurückfahren.

17. April - Juan les Pins

Bin gerade aufgestanden, mit Kopfweh, ganz leicht, aber trotzdem unangenehm, als ob ich einen engen, Helm auf dem Kopf tragen würde. Es wurde spät gestern – oder früh, wie man es nimmt, habe schon lange keinen Alkohol mehr getrunken und gestern bei der Geburtstagsfeier eines Freundes ein paar Champagner Flöten geleert. Ich hatte Durst, zu meinem Bedauern war kein Wasser in Sicht, zumindest am Anfang des Abends, während des Essens. Es war ein außergewöhnlicher Geburtstagsabend, der unkonventionell und eigenartig war, nachdem mein Bekannter sich auch in der spirituellen Szene befindet, auch viel praktiziert, wurde der Abend, nachdem sich alle Gäste miteinander bekannt gemacht haben, eher auf festliche zeremonielle Weise gestaltet. Wir wurden alle in einen sehr heimeligen Raum geführt, wo überall größere Sitzpolster kreisförmig verteilt waren, in der Mitte befanden sich Teppiche und ein kleiner Abstelltisch in marokkanischem Design, dekoriert wie ein Altar, mit Kerze und Federn, ein paar natürlich handgemachte Musikinstrumente und Räucherstäbchen waren ebenfalls dabei. Dumpfes, farbiges Licht umgab uns, jeder Gast wurde aufgefordert, sich nach Wunsch zu platzieren und so suchte sich jeder seinen liebsten Platz aus und setzte sich auf den von ihm auserwählten Polster, in einer Yogi-Sitzhaltung.

Danach installierte sich auch der Gastgeber zufällig gleich neben mir und fing an, uns den Ablauf seines Abends ausführlich zu erklären.

Jeder sollte sich noch einmal mit seinem Namen vorstellen, ganz kurz sprach jeder in der Reihenfolge seinen Vornamen aus, gleich danach konnten dann irgendwelche

Wünsche oder Gebete individuell geäußert werden, wer eine Bitte hatte, konnte diese dann vorlegen, ein Gebet für einen Angehörigen oder einen Dankspruch an das Leben, an alle Gäste oder aber auch an sich selber richten, danach wurden wir aufgefordert, still in uns einzukehren und diese meditative Zeremonie wurde dann durch Klangschalen aus Kristall und weiteren auserwählten naturlichen handgemachten, seltenen Instrumenten begleitet und zwar ganz sanft und wohltuend für die Sinne, den Geist und den Körper.

Ich fühlte mich wie in Trance, bewegte mich langsam mit meinem Oberkörper in kreisender Schwingung, hin und her, mein linker Arm bewegte sich und auch mein Kopf drehte sich langsam, nach links und nach rechts, wellenförmig, wie das Symbol des unendlichen, die liegende Acht, so ging es eine kurze Weile voran. Für meinen Geschmack hätte dieser Moment noch andauern können, es war so entspannend, wohltuend in dieser Haltung, mit diesen Klängen durchdrungen, gleichzeitig gestreichelt und durch sie ernährt zu werden.

Anschließend berichtete jeder von uns, wie er diese Introspektion erlebt hatte und teilte seine Erfahrung im Kreis. Natürlich empfand fast jeder die musikalische Begleitung als sehr besänftigend und reisend, so einzigartig wie ich auch.

Danach sangen wir alle ein indisches Mönchsmantra, das mir wieder half, in denselben, meditativen Trance Zustand zu kommen wie zuvor, ich konnte bemerken, dass meine Stimme sehr dominierend, präsent war, so wie die des Gastgebers und keine misstönigen Vorfälle beim Herunterbeten der markanten Gebets-Sprüche, brachten mich aus dem harmonischen Zustand heraus. Es ging reibungslos voran, in der gleichbleibenden Tonhöhe, ohne nachzudenken weiter, einfach nur wiederholen, obwohl es nicht repetitiv war, merkte ich, dass diese betäubende körperliche Verfassung mir half, in den Energiestrom des Singens einzutreten, dadurch entstand eine Leichtigkeit meiner Ausdrucks-Form.

Anschließend an dieses Mantra wurden wir aufgefordert, uns wie Samenkörner am Boden zusammen zu hocken, sobald wir es individuell spüren, ganz, ganz langsam wie Knospen aufzublühen, indem wir bedacht, in Richtung Himmel wachsend aufstehen, wie eine kleine schwache junge Pflanze, die anfängt zu sprießen. Unsere Arme und Beine bewegten wir dermaßen, um sie in Richtung Himmel und Sonne zu strecken, wir wachsen, wie im Frühling, wenn alles Lebendige versucht, wieder zu gebären, ans Tageslicht zu kommen, vom dunklen Nichts, wieder ins helle, lebendige Existieren überzugehen, der Sonne entgegenzustreben, ganz langsam bewegen und diesen Ablauf dann, durch einen instinktiven Tanz, körperlich ausdrücken.

Anschließend wurden von den Männern kleine Couchtische hereingebracht, Frauen gingen in die Küche, um das von uns mitgebrachte Festmahl zu holen und es auf den unterschiedlich, platzierten Tischen zu verteilen. Meine Polster-Nachbarin und ich beschlossen etwas Ungewohntes, für uns Neues zu experimentieren, diesmal nicht aufzustehen, sondern uns servieren zu lassen, dieses Experiment gefiel uns, ich wollte Wein und äußerte diesen Wunsch, sieh da, er wurde von einem netten Mann erhört und erfüllt. Angenehm, ich fing an diese Galanterie zu genießen und werde in Zukunft dieses selbständige, männliche Agieren, ein bisschen auf die Seite legen, mich bedienen, mir servieren, vom Leben verwöhnen lassen, von draußen kommendes auf mich zukommen lassen. Danach merkte ich, dass der Behälter mit meinem mitgebrachten Salat nicht auf dem Tisch stand, sagte ein oder zweimal mit erhobener, aber doch sanfter Stimme: „Da fehlt aber noch mein köstlich präparierter Salat, ich glaube, er ist im Kühlschrank vergessen worden." Eine Frau hörte meine Bitte und ging ihn sofort holen, na das funktionierte ja prächtig.

Es ist wirklich für mich etwas ganz Neues, was ich da ausprobierte, ich wurde nicht in dieser Richtung erzogen, es ging eher in diese Richtung: „Geh bitte und hole, oder mach bitte." Wir Kinder halfen beim Aufräumen, beim Kochen (das liebte ich) und, wenn etwas am Tisch fehlte, musste eins von uns Kindern es holen gehen. Dieses Verhalten war in mich eingeprägt wie ein Brandmal. Ich erinnere mich an einen Vorfall, als ich in Paris bei einem Freund von mir eingeladen war, er mir die Möglichkeit gab mich bedienen zu lassen, sitzenzubleiben und nicht beim Kochen zu helfen oder den Tisch zu decken, da hatte ich richtig Schwierigkeiten, ruhig und gelassen da zu sitzen, mir servieren zu lassen und mich dabei nicht schuldig zu fühlen, es war automatisch, dass mein Körper bei solchen Anlässen sofort wie ferngesteuert reagierte: Ich helfe Dir kochen, abräumen oder aufdecken und so weiter, es ist, als ob ich Angst vor der Kritik habe, kein hilfreicher Mensch zu sein, als faul abgestempelt zu werden. Ich befürchte dann, auch etwas schuldig zu sein, als ob ich etwas zurückgeben müsste. Es ist schon interessant, so ein neues Verhalten auszuprobieren. Ich werde jetzt in Zukunft mehr dieses, -ich lasse mich bedienen-, ausprobieren, es gefällt mir sehr, noch dazu, wenn die Einladung von einem Mann kommt, dadurch kann meine langjährig unterdrückte weibliche Diva-Seite endlich zur Geltung kommen. Sie darf wieder ernährt werden, aufblühen sozusagen und meine männliche Seite oder diese -ich muss unbedingt helfen-Seite in mir, kann sich ein bisschen zurückziehen, sich ausruhen, hat eh schon seit langer Zeit genug, sich immer nützlich machend Aktionen bewältigt, darf auch mal in den Urlaub gehen.

Um wieder auf meinen gestrigen Abend zurückzukommen da ging es natürlich schön angenehm weiter, mit Plaudern, Essen und Trinken, Wein und Champagner, viel zu viel für meine Verhältnisse, ich trinke kaum mehr etwas Alkoholisches, mein Körper spürt sofort diesen Rausch. Auch mit dem Essen ist das so eine Sache, ich und die Nahrung sind ein Kapitel für sich. Ich kann genug darüber berichten, ja es ist affektiver Nahrungsausgleich, dass weiß ich jetzt ganz sicher, es beruhigt mich, wenn ich esse, nur augenblicklich, anschließend aber, fühle ich mich nicht besonders und das bemerke ich schon seit ein paar Monaten. Ich spüre es immer deutlicher, dieses Völlegefühl, es fühlt sich schwer an, Schwierigkeiten beim Atmen kommen hinzu, meine Kleidung fühlt sich zu enganliegend an, darüber hinaus verspüre ich den Eindruck das meine gesamte Haut sich ausdehnt.

Es gibt Monate, wo ich ausprobiert habe, den Tag über nicht mehr zu essen und dann erst am Abend nur etwas rohes oder gedünstetes Gemüse und leichte, naturbelassene, gesunde Nahrung, zu mir zu nehmen, aber das hielt ich nur eine Zeitlang durch, jetzt nicht mehr, ich habe Heißhunger am Abend und stopfe dann unkontrolliert Lebensmittel in mich hinein, die mir ein Völlegefühl in der Magengegend, Solar Plexus Chakra, vermitteln. Es gibt dann bei dieser Aktion leider keine Limits mehr, ich esse, mische Gesalzenes mit Süßem und rein damit, nur vollfüllen, noch dazu am Abend, wenn mein Magen sich zur Ruhe legen will, endlich schlafen geht, das ist natürlich nicht das Gesündeste für ihn, der Arme. Die Nahrung liegt dann brach im Bauch und ich stehe in der Früh mit einem Völlegefühl auf, dass eher unangenehm zu empfinden ist.

Ich habe letzte Woche versucht, eine Woche ohne Nahrung auszukommen, eine Entgiftungskur zu machen und es war ein hartes mit-mir-Auseinandersetzen. Nur Wasser trinken, bewusstes Atmen praktizieren, achtsame Yogaübungen, Meditation, ein paar Kunden begleiten, massieren und das wars. Mein Magen hat gleich am ersten Tag angefangen, leere und unangenehme Sensationen zu verspüren, es hat richtig weh getan, es war eigentlich ungut zu empfingen, wenn ich allerdings meine Konzentration auf diesen schmerzhaften Bereich und auf die leichten Krämpfe gerichtet habe, in sie hinein atmete, dann ließen sie langsam los, es war ok, Harmonie entstand wieder. Sobald ich jedoch während des Tages eine emotionale, unerwartete Situation erlebt habe, kamen sofort unangemeldet Wut, Ungeduld oder Stress zum Vorschein, was in mir den inneren Drang auslöste, das sofort durch Nahrung zu kompensieren. Ich habe aber diesem Drängen nicht nachgegeben, es war sehr interessant zu beobachten, wie ich gefühlsmäßig funktioniere.

Ich habe beschlossen, meinen egozentrisch geleiteten Willen zu beobachten, ihn nicht andauernd, wenn er den Augenblick entscheidet, zu ernähren, zu probieren, ihn zu transzendieren, mit stiller Einfühlsamkeit, konstanter Präsenz, ihm wieder seinen ursprünglichen Platz oder seine eigentliche Rolle zu überlassen, die für ihn ursächlich schon determiniert wurde. Dadurch erwartete ich, mich freier zu fühlen gleichzeitig auch wieder Herr meiner Selbst zu sein, aber es ist nicht einfach, den Großteil meiner triebhaften Empfindungen habe ich schon durch bewusst gesunde Handlungen ersetzt, aber diese affektive Leere und das impulsive Essen, um dieses Loch zu füllen, noch nicht.

Ich habe einen Freund, der praktiziert diese Fastenerfahrung schon seit einem Monat, ohne Essen, nur Trinken und er ist voll Energie. Deswegen wollte ich es auch ausprobieren, vielleicht nicht so lange, aber eine Woche, um den Körper schon einmal ordentlich schonend zu entgiften und um das verletzte Ego ein wenig zu zügeln, es nicht mehr ständig zu ernähren. Es war mir auch wichtig, während dieser Erfahrung zu entdecken, wie genau ich mich verhalte, was mit mir und meinem Körper passiert, wenn ich nicht meinen triebhaften Gelüsten nachgehe, wenn ich Hunger bekomme und nicht darauf antworte. Also ich werde diese experimentelle Fastenwoche noch einmal wiederholen, später irgendwann. Ich weiß, dass ich mich danach in meinem Körper wohler fühle, obwohl es am Anfang nicht angenehm ist, da ja anfänglich die angesammelten eingenisteten Toxine ausgeschieden werden, weswegen ich auch drei Tage Kopfschmerzen verspürte, auch der Darm musste vorher komplett entleert werden, aber das habe ich ja schon einmal ausprobiert und kann es wiederholen.

Um noch einmal an den Abend zurückzukommen, nach dem festlich, ausgiebigen Essen haben wir dann alle mit sehr cooler, unterschiedlich, anregender und rhythmisierter Musik getanzt. Alle ohne Ausnahmen, auch auf den Sofas und Tischen, es war super amüsant, ich fühlte mich im Einklang mit mir, meinem Körper und dem ganzen Umfeld, nur mein Kleid war bedauerlicherweise was den Stoff betraf ein bisschen zu dick, die schmalen Ärmel zu eng, für meine schnellen, sehr dynamisch, rhythmischen Bewegungen. Ich schwitzte auch ziemlich, infolgedessen ging ich manchmal hinaus auf die Straße, um vor dem Eingang der Wohnung zu tanzen, und mich dadurch zu erfrischen, das Appartement befand sich gleich am Hafen von Mandelieu. Am Ende des Abends, als die meisten Leute schon aufbrachen, fragte ich das Geburtstagskind, ob ich eine der Trommeln, die von Lateinamerikas Indianern hergestellt wurden, von ihm kaufen könne. Er schlug mir vor, eine davon mitzunehmen, er borgt sie mir. Ich freute mich unheimlich, es ist schon lange einer meiner größten Wünsche, so eine Trommel bei mir zu Hause zu spielen.

Damit ich es nicht vergesse, da war ja noch eine Anekdote mit den Geschenken, die jeder einzelne mitbringen sollte, sie wurden allesamt unter den Gästen verteilt, somit bekam jeder ein Geschenk, dass er aus einem großen Sack wählen konnte, ich zog ein Buch heraus und zwar war der Titel der Lektüre: Ein Kompass für seinen persönlichen Weg!

18. April - Juan les Pins

Endlich allein, in Ruhe mit mir, ein bisschen befinde ich mich in einem Trancezustand, mein Schreiben wird von schamanischen Trommelschlägen und Stimmen begleitet, ich fühle mich einem harmonischen Ausgleich, auf allen Ebenen.

Habe heute meine Fastenkur begonnen, schon zum zweiten Mal, zwar fühle ich mich momentan, komplett im Einklang mit dem Gedanken, ein paar Tage lang keine Nahrung mehr zu mir zu nehmen, jedoch spüre ich ein ganz wenig Befürchtung, ich versuche nämlich, ein neues Experiment zu erfahren. Und zwar möchte ich entdecken, wie weit mein Ego-geleiteter Wille und ich, mein kompensatorisches Verhalten, sprich das in mich hineinessen, um Fülle zu verspüren, aushalten werden. In welchen gefühlsmäßigen und sinneswahrnemenden Zuständen ich mich während dieser Phase, befinden werde, wie ich diese Versuchsperiode, erleben und annehmen werde und wie lange es dauern wird, bis keine Reaktionen meines Körpers, also emotional und physisch, kein Widerstand mehr aufkommt.

Heute ist jedenfalls mein erster Tag des Durchhaltens, ich habe nach einer zweistündigen Massage eines neuen, sehr angenehmen Kunden, milde Atemübungen gemacht, war im Freiluft-Schwimmbad, hier in der Residenz, wo ich wohne, und dann habe ich auch noch Dehnungsübungen unten bei mir in der Wohnung vollbracht. Ich war allein, außer ein paar Kindern, die sich mit Wasserflaschen bespritzt haben, aber dieses spielerische Amüsieren dauerte nicht sehr lange, sie gingen hinterher zu ihren Wohnungen. Anschließend verbrachte ich herrliche Augenblicke mit mir allein und meiner ach so geliebten Umgebung hier. Die wunderschönen stolzen Pinien und Tannenbäume, die sich im Wind in alle Richtungen bogen, sich berührten, sanft streichelnd und ein paar singende Vögel ließen sich durch den Wind treiben, sie genossen ihre Freiheit, ein Frosch hat mich begleitet, mit mir geatmet und war schließlich doch ein bisschen lauter als ich mit meinen tantrisch-taoistischen Atemübungen. Ganz kleine Würmer bewegten sich in allen Richtungen im Schwimmbad, das zu meinem Bedauern zu dieser Zeit der Saison noch nicht gereinigt wurde und noch alle Merkmale des Winters trug.

Zwei der sehr schönen und mir ziemlich lieb gewordenen Palmen hier auf dem naturbelassenen Grundstück des Pools, die mir jedes Jahr bei der sehr starken Hitze hier ein bisschen Schatten gaben, sind leider verschwunden, flutsch, weg. Angeblich hatten sie Krankheiten, der Gärtner der Anlage hat sie abgesägt, es stehen nur mehr zwei kurze Baumstümpfe, eher Palmenstümpfe, wie lange dunkle Rauchfänge schauen sie aus, die noch an ihre vergangene Existenz, erinnern. Schade, es tut mir irgendwie innerlich weh, wenn solche notwendigen Vorfälle vorkommen. Zum Glück gibt es rundherum um die Pool-Anlage genug naturbelassenen Wald, hauptsächlich durch die Nachbargrundstücke und somit konzentriere ich meine Sicht eher auf diese grüne, lebendige Natur.

Normalerweise hätte ich heute noch einen Kunden gehabt, aber der hat in letzter Minute abgesagt, angeblich musste er unvorhergesehen arbeiten, doch mich stört das nicht, hatte zwar alles schon für ihn hergerichtet, aber jetzt verwende ich eben diese Zeit, um Dir zu schreiben,

Dir wieder zu berichten, was so bei mir abläuft, was ich so mache, denke, empfinde, erlebe oder nicht erlebe.

Ich übe, trommle fleißig mit meiner schamanischen Trommel, ich gebe zu, es gefällt mir sehr, da der Rhythmus mir spontan in eine Art Trancezustand verhilft. Auch heute Vormittag nach meiner Massage habe ich automatisch getrommelt, was plötzlich sehr viel Traurigkeit bei mir ausgelöst hat.

Es war ein Experiment für mich, durch diese unterschiedlichen Tonschwingungen konnte mein emotionaler Körper völlig loslassen. Interessant, vielleicht kann das meinen Kunden auch helfen, auf emotionaler Ebene loszulassen, gleichzeitig, den inneren Heilungsprozess aktivieren, muss ich nächstes Mal ausprobieren.

Habe mir, um meine Entschlackungs-Entgiftungs- und Fastenkur zu begleiten, eine Zitrone gepresst, diese mit heißem Wasser aufgegossen und eine Stück Wurzel Ingwer, getrockneten Rosmarin und Salbeiblätter dazugegeben. Das alles kann ja nur Unterstützung bieten, um den inneren Körper zu entschlacken, meine Organe von Giftstoffen zu reinigen, meine Organe von Giftstoffen zu reinigen, meine Organe von Giftstoffen zu reinigen, außerdem schmeckt es gut, neutralisiert gleichzeitig den unangenehmen Mundgeruch, der beim Fasten automatisch entsteht.

Denke öfter an meinen lieben Jugendfreund in Wien, von dem ich leider keine Neuigkeiten mehr bekomme, manchmal fehlt mir sein physisches Dasein, sein Körper, sein Geruch, seine Stimme, oder nur, dass er mir schreibt, ein paar Zeilen, lediglich, damit ich beruhigt bin und ich weiß, dass ich für ihn existiere, wichtig bin, zähle, das sind noch all die Reste meiner verwundeten Persönlichkeit, die noch innerlich existieren, mir zeigen, dass ich diese Art von emotional, affektiver Ernährung, die mir in meiner Kindheit gefehlt hat, heute noch brauche.

Ja, es ist mir bewusst, ich bin sehr eigenständig, auf allen Ebenen, in den meisten domaines (Bereichen) meines Lebens geworden, kann mich jetzt selbständig und meine leeren Anteile in mir ernähren, mache mir auch des Öfteren Komplimente diesbezüglich, unterstütze und begleite mich, halte mich selbst fest, in meinen eigenen Armen, streichle mich mit beruhigenden, aufmunternden Wörtern, wie eine Mutter ihr Kind in den Armen hält und es erleichtert, unterstützt, umsorgt und annimmt. Ich habe auch gelernt, mich selbständig anzunehmen, mit allen meinen Facetten, auch den nicht sehr schönen, unangenehmen, den dunklen, ganz tiefsitzenden, im Schatten verkrochenen.

Ich kümmere mich ebenfalls behutsam und aufmerksam um meinen physischen Körper, der immerzu sehr verspannt ist und um meine unterschiedlichen, eher mühsamen Emotionen, die da noch öfter ans Tageslicht kommen, mit mir ihr Unwesen treiben wollen, die lasse ich jetzt zu und kann sie meistern, zuversichtlich sorgsam annehmen. Meinen Energiekörper spüre ich auch sehr stark, immer intensiver.

Ich beobachte mich jetzt mehrmals von innen und von draußen. Als stiller, wachsamer Beobachter stelle ich fest, dass ich auch noch gelegentlich an ihn denke und meine Gedanken kreisen immer um das gleiche Thema - warum will er mit mir nicht sprechen, warum nicht mit mir über seine Gefühle reden, sie mit mir teilen? Mir über sein gelebtes Leben berichten, warum schreibt oder ruft er mich nicht an, äußert sich darüber, was er auf dem Herzen hat? Ich habe in seiner letzten sehr kurzen Nachricht erfahren, dass er nicht besonders in Stimmung sei, sich eher depressiv fühlt, ich weiß nur nicht, warum, er wollte mich auch hier besuchen kommen, ich habe keine Neuigkeiten diesbezüglich erhalten, das wäre jetzt zu Ostern gewesen, wir haben aber schon Mitte April, ich wünsche mir, dass er sich mir anvertraut, mit mir über sich spricht.

Ich habe monatelang Mails über mein erlebtes, vergangenes Leben, über mich, meine Eindrücke, Wünsche, Hoffnungen, mein Fühlen und Handeln geschrieben, sie ihm alle gesendet, um mich mit ihm zu teilen. Es war eine neue Erfahrung für mich, weil ich mich noch nie so intim einem Mann gegenüber geöffnet habe, ich fühlte mich von ihm zu der Zeit angenommen, nachdem sowieso kein Echo von seiner Seite aus kam, außer einmal: „Bitte schreibe mir weiterhin, auch wenn ich Dir nicht antworte." Und so wurde es für mich einfach, ohne Hemmung drauflos zu schreiben, mich zu öffnen, mich mitzuteilen.

Dieser intensive archaische Wunsch, von ihm, der männlichen Figur, beachtet und angenommen zu werden, für ihn zu existieren, so ganzheitlich mit allem, was ich bin, kommt von sehr weit, vielleicht von den Eltern, oder kommt er womöglich vom transgenerationalen Übertragungsphänomen, der unbewussten Weitergabe von Traumata und Schuldverstrickungen an nachfolgende Generationen, was die Frau betrifft, möglicherweise ebenfalls vom Karma, mitunter auch von noch Höher schwingenden Dimension, und ist in meinem jetzigen Leben halt deswegen außergewöhnlich intensiv gegenwärtig? Dieses vom Urinstinkt getriebene, natürliche Bedürfnis, dass bei mir nach Nahrung bittet, welches durch diese jetzige Erfahrung in mein Bewusstsein kommt und erst durch mein Aufschreiben, auf eine gewisse Art und Weise ernährt wird, war immer schon, tief in mir drinnen.

In letzter Zeit bin ich mir dessen des Öfteren bewusst geworden, da er sich sehr selten bei mir gemeldet hat. Von seiner Seite aus ist, seit ich von Wien wieder nach Frankreich geflogen bin, keine Initiative ausgegangen, mit mir Kontakt aufzunehmen, da kann ich mir natürlich viele unterschiedliche Gründe ausdenken und sie für meine Wahrheit anerkennen, es würden nur Suppositionen sein, allein das Gehirn, das verletzte Ego wird dadurch ernährt, aber es ist und bleibt eine Illusion, was momentan fest steht, ist nur, dass er kein Lebenszeichen von sich gibt.

Ich lebe damit und entdecke mich dadurch, gleichzeitig erkenne ich tagtäglich neue, berührende Aspekte meines Innenlebens, aber auch Gefühle, die ich schon kenne, wiederholt gespürt habe, sie wollen sich alle an die Oberfläche drängeln. Meine wichtigste Aufgabe mit mir im Moment ist, alles anzunehmen, was sich da präsentiert, ohne Kritik oder Verurteilung, das ganze Sinnes- und Gefühls-Assortiment, das hervorgerufen wird, wachgerüttelt durch diese ungemütliche, eigenartige Situation.

Ich erinnere mich nicht gerne daran, dennoch ist mir diese Lebenserfahrung mehrmals, widerfahren, durchspielt habe ich sie nur mit anderen Männern. Jedes Mal verläuft die Geschichte ein bisschen anders, trotzdem bekomme ich dadurch die Gelegenheit, noch selbständiger, freier und unabhängiger auf affektiv-emotionaler Ebene zu werden, mich infolgedessen, immer öfter achtsamer um mein persönliches Wohlwollen, Mitgefühl und meine Wahrnehmung zu kümmern, nicht mehr auf äußerliche

Nahrung warten zu müssen. Sondern meine innere Leere, mein Alleinsein mit mir zu akzeptieren und zuzulassen, was so ähnlich wie mit dem Hunger und den auftretenden Schmerzen in der Bauchgegend ist. Emotional unangenehm hervorgerufene Gefühle einfach annehmen, sie sein lassen, mich in sie hineinspüren, bis sie von allein nicht mehr kommen, ich probiere es aus und halte dich auf dem Laufenden während meines Experimentierens.

22. April

So, es geht wieder weiter. Grüße Dich herzlichst, habe Dir lange nicht geschrieben, war sehr beschäftigt mit meinen Heil-Massagen und Tantra-Begleitung-Sessions (Coaching und Training für Bewusstes Sein und bewusste Achtsamkeit) und da bin ich dann einfach viel zu müde, um Dir noch zu berichten.

Also ich weiß nicht, ob ich Dir über meine detoxification (Entgiftung) Initiative berichtet habe, meine Entscheidung traf ich, nachdem mich ein Freund unbewusst dazu antrieb. Er fastet schon seit sechsunddreißig Tagen, ernährt sich nur mit ganz natürlichen, dünnflüssigen Fruchtsäften und Wasser, er schafft es aber locker, ist wohlauf, verfügt über enorm viel Energie. (Bitte nicht nachmachen)

Um ehrlich zu sein, seit ein paar Monaten spukt dieses Experiment in meinem Kopf herum. Nachdem ich ja schon seit sechs Monaten nur einmal am Tag esse, am späten Nachmittag oder am Abend, es hängt ganz von meinem Hungergefühl und von meiner Disponibilität, mir meine Nahrung zuzubereiten ab, komme ich zu dem Entschluss, dass diese kurative Erfahrung, für mich nicht so schwierig sein wird. Na ja, eigentlich hat mich auch ein weiteres Erlebnis in meiner Entscheidung, diese Kur durchzumachen, unterstützt, nachdem in einem Gesundheitszentrum, wo ich meine therapeutischen Akupunkturbehandlungen bekomme, und gleichzeitig eine Weiterbildung als energetische Heilerin begonnen habe, gesehen, dass eine junge Dame überhaupt gar nichts mehr isst, auch nichts mehr trinkt und sich nur von Prana ernährt. (Bitte nicht nachmachen)

Sie gibt eine Konferenz darüber, wie sie diese Lebenserfahrung erlebt, wie sie angefangen hat und wie sie sich fühlt, bei dieser Art von Leben, das sie in ihr tagtägliches Dasein einbringt und infolgedessen ständige Harmonie erlebt.

Ich habe leider nicht die Gelegenheit gefunden, diese Konferenz mitzuerleben, aber mein Freund, den ich gerade erwähnte, war dabei und hörte sich dies alles an, entschloss folglich, auch so eine Kur anzufangen. Sie soll angeblich den ganzheitlichen Körper reinigen, von unterschiedlichen Krankheiten befreien und einem die Möglichkeit geben, sich leichter zu fühlen, mit viel mehr Energie und Lebenslust in den Tag hineinzuleben. Obendrein findet auch Selbstheilung statt. Gleichzeitig wäre dieser neue Lebensmodus für Leute, die sich auf einem persönlich, esoterisch, spirituellen Entwicklungs- und Bewusstseinsweg befinden, eine zusätzliche Unterstützung, um ihre Energievibrationen zu erhöhen und ihnen die unmittelbare Möglichkeit zu geben, sich immer mehr ihrer wahren Natur zu nähern.

Es würde gleichzeitig die Sensibilität unserer Sinnesorgane erhöhen, dadurch einfach unser ganzheitliches physisches, psychisches, emotionales, energetisches, Wohlbefinden erheblich verbessern.

Na ja, nachdem ich jetzt schon eine Zeitlang auf diesem spirituellen, persönlichen Entwicklungsweg bin – so ungefähr seit fünfzehn Jahren – und ich gerne neue Erfahrungen ausprobiere … aber nicht nur deswegen, ich wünsche mir ja auch, mein inneres Glück zu spüren, ohne äußere Kompensationen, wäre diese Kur für mich interessant, sie schwirrt ohnedies schon einige Zeit in meinem Kopf herum.

Es geht mir auch um etwas anderes, was mir von Notwendigkeit erscheint, das ist meine affektive Abhängigkeit, die ich nicht mehr ernähren möchte, ich weiß nicht, ob mir diese Kur dabei helfen wird. Trotzdem, tief in mir drinnen, da spüre ich, dass sie es wird. Ich bin mir auch darüber im Klaren, dass ich sehr gerne in mich hineinstopfe, wenn ich zu essen beginne und mich dieses unkontrollierte, ungesunde Verhalten beruhigt. Ich wurde mir darüber bewusst, während ich mich beobachtete, genau dann, wenn ich gefühlvolle Situationen erlebe, wenn sie intensiv sind. Nicht alle Ereignisse, nur manche, wie zum Beispiel, wenn ich verärgert bin, wegen meines Freundes Rage empfinde, weil er nicht mit mir kommuniziert, dann esse ich gerne in mich hinein, nur damit ich in der Solar Plexus Gegend, im Magenbereich, ein Völlegefühl verspüren kann, etwas, das mich beruhigt, ein mich ernähren, in dieser Zone. Und nachdem ich den Tag über nichts Nahrhaftes zu mir nehme, bin ich natürlich am Abend hungrig und dass mehr, als es sein müsste.

Ich kann mich auch damit nähren und Sättigung verspüren, wenn ich in mich hineinhöre, meine ganze Konzentration und meine Atmung bewusst auf diese Gegend, wo Leere verspürt wird, hinleite, dann bräuchte ich eigentlich nichts mehr zu mir zu nehmen.

Aber es klappt nicht immer, manchmal war das Essen dann wie eine Droge für mich, ich musste dann noch fortgehend hineinfüllen, obwohl ich mich im Nachhinein nicht mehr wohl fühlte, mein Bauch war voll, drückte und am nächsten Morgen stand ich auf und verspürte keine Leere mehr, sondern ein unangenehmes Völlegefühl.

Also war es mir klar, da ist etwas nicht im Ausgleich, die Emotionen, das kompulsive (zwanghafte) Essenverhalten!

Ich spürte, dass alles eng miteinander verbunden ist, irgendetwas sollte umgehend ins Gleichgewicht gebracht werden.

Ich beschäftige mich mit mir und dieser affektiven Abhängigkeit jetzt schon sehr lange, habe wesentlich, unterschiedliche Heilmethoden ausprobiert, diesbezüglich ebenfalls, einige spezielle Therapien gemacht und unzählige, autogene Trainings, unterschiedliche Heil- und Bewusstseins Praktiken an mir jahrelang ausprobiert und mein Verhalten und Denken bezüglich der Beziehungen zu Männern grundlegend verändert. Ich habe bewusst meinem Körper geholfen, seine Gedächtniszellen zu reinigen, mir dadurch geholfen, meine originelle (ursprüngliche) Wunde teilweise zu heilen, aber dieses Gefühl ist immer noch in mir zu spüren, zwar nicht mehr so stark wie früher, aber doch noch vorhanden. Durch die Jugendfreund-Beziehung wurde sie in mir wieder aktiviert, er hat mir die Möglichkeit gegeben, mir bewusst zu werden, dass in meinem körperlichen Zellengedächtnis, dieses Gefühl der Abhängigkeit noch lebendig ist.

Nachdem ich Kunden mit derselben Wunde in meinem beruflichen Leben anziehe, begleite ich sie auf diesem, ihrem persönlichen Weg der affektiven Autonomie, mit den gleichen Methoden und Praktiken, die mir auch geholfen haben, freier, selbständiger, zuversichtlicher und emphatischer mit mir umzugehen.

Diese Unterstützung, sie auf dem Pfad, der inneren Freiheit und Selbstliebe zu begleiten, hilft ihnen, und gleichzeitig mir selber, langsam wieder inneres, wahres seelisches Wohlbefinden verspüren zu können, infolgedessen auch ihre Chance erhöhen den passenden Partner, mit dem sie eine ausgeglichene Partner Beziehung erfahren, anzuziehen.

Nachdem ich am fünften Tag meiner nur-Wasser-trinken-Fastenkur angekommen bin, fühle ich mich leicht, beweglich, meditativ schwebend und zur gleichen Zeit frei, weg von Sucht Sensationen, frisch, sauber drinnen in mir, fließende Energie ist wieder zur Verfügung, noch nicht sehr viel, aber doch mehr als die Tage davor.

Ich berichte Dir jetzt ein bisschen, wie diese Erfahrung für mich abgelaufen ist. Es wäre natürlich besser gewesen, ich hätte regelmäßig jeden Tag mit Dir korrespondiert, Dir von meinen Erlebnissen erzählt, es ist gewiss möglich, dass ich ein paar Anekdoten vergessen habe, aber ich werde mich wieder in die letzten Tage hineinspüren und das für mich Wichtigste an dich weitergeben.

Der erste Tag meiner Kur war am Montag vor einer Woche, heute ist Freitag und ich habe vor diese Kur bis Sonntag durchzuführen. Am ersten Tag war nur der Abend so um acht Uhr herum schwer durchzustehen, da ich aber gewohnt bin, den Tag über nichts zu essen, ist diese Gewohnheit natürlich ein Vorteil. So etwas nennt man, habe ich übers Internet erfahren, intermédiaire-Fasten (zwischendurch). Das wusste ich vorher gar nicht und als der Abend kam, wurde es immer schwerer für mich durchzuhalten, aber ich blieb eisern. Ich wusste auch, wenn ich es jetzt nicht schaffe, wo mein Sohn nicht zu Hause während der ganzen Woche ist, wird es schwieriger und fast unmöglich standhaft zu bleiben, wenn er wieder aus dem Internat kommt und seine Hamburger, Brioche mit Zucker-guss und Schoko-Kissen ungeniert vor mir genießt. Es war für mich diesmal also wichtig durchzuhalten.

Ich muss Dir auch gestehen, ich habe noch nie eine nichts-essen-Kur geschafft, nicht an einem einzigen Tag. Ich probierte es bisher nur mit Gemüse oder selbstge-pressten Säften, um zu entschlacken, oder als ich krank war, sehr leidend im Bett lag mit Fieber, da aß ich auch nichts, aber das war eher selten.

Ich habe vergessen Dir zu schildern, dass ich ja schon eine Woche vorher angefangen habe zu fasten, aber schon am ersten Tag wurde ich schwach, auch verständ-lich, denn mein Sohn der diese Woche zu Hause ver-brachte, belebte unsere Küche mit gebratenen, gut rie-chenden, appetitanregenden Speisen, die er liebevoll zu-bereitete und überall war das herrliche Essen im Kühl-schrank verteilt, volle Schüsseln und Kochtöpfe quollen über mit schmackhafter Nahrung. Das war mir zu schwer und so startete ich einen zweiten Anlauf diese Woche.

So, ich hielt dann aber trotzdem durch, ging früher schlafen und vergaß den Hunger und den Drang zu essen. Am nächsten Morgen fühlte ich mich schon leichter, nicht so voll, ich liebe dieses Gefühl, wenn der Bauch nicht so gefüllt ist, ganz flach anliegend, und man sich so dünn und leicht vorkommt. Ich erinnere mich, als ich ein paar Jahre jünger war, aß ich nur zu Mittag und in der Früh und nicht am Abend, aber seit ein paar Jahren schaff ich das nicht mehr. Wahrscheinlich die Menopause!

Der Tag des Fastens verging ganz reibungslos, erst am Abend empfand ich leichte, unangenehme Kopfschmer-zen, ich erinnere mich daran, dass mir mein Chiropraktiker, der sich ja auch auf diesem Weg des sich Wohl-Fühlens befindet, mir ein paar Tipps über seine Fastenerlebnisse gab. Er erklärte mir, dass der dritte Tag der Schwierigste sei, weil Kopfweh und Schwäche zum Vorschein kommen und der Hunger auch. Na, bei mir hat das Kopfweh schon am zweiten Tag angefangen. Er erzählte mir ebenfalls, ab dem dritten Tag bekomme man dann wieder seine verlorene Energie zurück, sei generell fitter, werde dann immer fitter und man verspüre kein Hungergefühl mehr.

Na also, ich bin beruhigt, gehe schlafen, um nicht zu leiden, Hunger ist natürlich immerzu spürbar, aber ich habe vor durchzuhalten.

Dritter Tag, immer noch Kopfweh und Müdigkeit auf dem Tagesmenüplan, so wie er es mir beschrieb, es war also ok, dieser Zustand und zu meinem großen Glück hat ein Kunde von mir heute abgesagt, der hatte eine Magenvergiftung und komischerweise auch zufällig Kopfschmerzen, welch Zufall. Somit hatte ich den ganzen Vormittag Zeit, mich um mich zu kümmern, um präsent zu sein, für meinen Körper, für die Sensationen, die sich da bemerkbar machten.

Am späteren Nachmittag hatte ich einen Austausch mit einem Freund vereinbart, er massiert mich, ich massiere ihn. Als er kam, berührte ich ihn mit sehr schwachem, energetischem Antrieb, eher langsam, meditativ, bewusst und sanft waren meine Bewegungen. Der Fastenzustand brachte mich auf eine andere Schwingungsfrequenz, ich fühlte mich also dadurch viel leichter, in einem tiefsinnigen Zustand. Seine Massage dauerte viel länger als meine, währenddessen ließ ich mich dabei komplett gehen. Seine Berührungen waren sehr angenehm, sehr respektiv ist er mit meinem Körper umgegangen, ich danke ihm nochmals dafür. Müde und mit Kopfweh wachte ich hinterher auf. Ich dachte mir, nachdem ich seit drei Tagen noch nicht auf der Toilette war, vielleicht hilft es, wenn ich diesen blockierten Vorgang ein bisschen beschleunige, indem ich getrocknete Feigenwürfel, die bekanntlich abführende Eigenschaften besitzen, zu mir nehme, dadurch die Giftstoffe meines Darms zu entleeren und auch diesem konstanten Kopfweh ein Ende zu setzen.

Ein Freund rief mich zufällig an, der diese Fastenkur schon hinter sich hat und riet mir Salzlösung zu trinken, um den Darm schneller komplett zu entleeren, ihn dadurch effektiver zu entgiften, aber das war mir zu wild und ich blieb lieber bei meiner Feigenwürfeln-Version, die ja für mich schonender war, sodass dem Darm langsamer geholfen, wird sich zu leeren.

Mein Massagefreund hat dieselbe Wasserkur hinter sich gebracht, aber er zahlte viel dafür. Diese ganze Zeremonie fand irgendwo am Land in einem Hotel statt, zusammen mit einer Gruppe, in der alle fasteten, zuzüglich eines Begleiters, der ihnen mit wichtigen Informationen half, diese Zeit so angenehm wie möglich zu überstehen. Er teilte einige dieser Ratschläge, riet mir weiße Flohsamen zu mir zunehmen, diese natürlichen Samen würden auch den Magen und Darm reinigen und den restlichen Giftstoffen, die sich dort eingenistet haben, helfen, sich zu verabschieden. Außerdem hat man durch die Einnahme dieses natürlichen Pulvers, dass ja gleichzeitig mit dem Wasser eingenommen wird und im Magen dann aufquillt, den Eindruck satt zu sein. Ok, das kaufe ich mir noch schnell, bevor die Bioläden schließen und somit wendete ich den Ratschlag, den ich von meinem lieben Freund bekam, bei mir an. Erfreulicherweise fand ich bei mir zu Hause ein abführendes Zapferl, von einer ehemaligen Magenreinigung, das sofort wirkte und so ging der Prozess, den Darm zu entleeren, behutsam vor sich. Ein bisschen Hunger machte sich bemerkbar, aber es war durchzuhalten, ich gab nicht nach, meine Kopfschmerzen verschwanden endlich. Ich war froh darüber, aber der nächste Tag annoncierte sich mit mehreren Massagen, Achtsamkeits- und Tantra-sessions mit vielen, vielen Kunden, somit ging ich diesmal früh ins Bett. Der erste Klient kam schon um acht Uhr, also musste ich schon um sieben Uhr morgens aufstehen, ich fühlte mich zum Glück im Ganzen, sehr wohl, schlank und leicht, zwar war wenig Energie vorhanden, ich empfand mich ein bisschen müde und schlapp, aber sonst war alles ok.

24. April - Sonntag

Letzter Tag meiner Kur!

Du glaubst mir das wirklich? Nein, ich habe gestern schon aufgehört, als ich in Nizza Geschäfte anschauen und spazieren gegangen bin, schon zeitig in der Früh, da hatte ich noch richtig Energie, um etwas zu unternehmen. Diese Entscheidung, nach Nizza zu fahren, kam spontan aus meinem Bauch heraus, ich wollte halt einfach nur bummeln, mir einige Sachen anschauen, sie anprobieren, ich brauchte doch wirklich dringend weiße Sportschuhe zum Massieren, wenn ich dabei hellfarbige Jogging Hosen trage, damit das auf jeden Fall harmonisch dazu passt. Ich suchte auch Schuhe für jeden Tag, aber mit einem höheren, eher dickeren Absatz, wegen der Standhaftigkeit, aber doch noch elegant, natürlich sehr bequem aus Leder, eher halb Geöffnete für den Sommer, in hellrosa oder lachsfarben, auch beige gefällt mir, die einfach zu meinen Sommerkleidern, angenehm zu tragen und farblich passend sind, die mir nicht weh tun, wenn ich damit den ganzen Tag herumlaufe, schön ja, aber leiden nicht mehr, so wie ich mir das früher aufgezwungen habe.

Und so lief ich schön gekleidet herum, das tue ich sehr gerne, mich klassisch edel und schön anziehen, wenn ich in der Stadt spazieren gehe. Meistens bin ich durch meine beruflichen oder freizeitlichen Aktivitäten in Jogginghose oder bequemen Leggings, um meinen Körper für jeden mir innerlich spürbaren Energiestrom bewegen zu können, und damit ich immer spontan, wenn und wo die Gelegenheit sich bietet, Yoga, Sport und Meditation mit dem alltäglichen Vergnügen verbinden kann.

Also, da schlenderte ich so herum und ging in jedes Geschäft, von dem ich mich angezogen fühlte, dass meinem Geschmack entsprach und suchte mir darin aus, was zu mir passen könnte, probierte und probierte. Interessant war, dass keine Kauflust in mir aufkam, dieses Gefühl war sehr neu, richtig unbekannt für mich, so viele schöne gut passende Kleider, aber keine Schuhe, auch keine Tennisschuhe, die mir gefielen oder mir passten, weswegen ich eigentlich gekommen war.

Das schlimmste während dieses flâner (Bummeln) waren all diese einladend, auffordernden Gerüche, die aus den Fritten und Sandwich-Kiosks kamen, aus den Restaurants, die bummvoll mit Leuten, Touristen und Speisen waren, überall an jeder Ecke und Straße wurde Werbung für Lebensmittel, Snacks, Sandwiches, Patisserie, Desserts, Gourmets Häppchen und so weiter und so fort, verbreitet, dergleichen ging es die lange Einkaufsstraße entlang weiter.

Es war eine harte Herausforderung für meinen Magen und meinen Willen. Es wurde immer schwieriger standzuhalten, mich auf das Ende meiner Fastenkur zu konzentrieren, nachdem ich ja schon großen Hunger bekam. So war es um mein Durchhaltevermögen geschehen, dieses stressige Herumlaufen weckte nach drei Stunden bei mir auch Müdigkeit und Schlappheit, demzufolge überlegte ich: Ok, das Beste ist, etwas zu essen. Und dass es keine gute Idee war, heute nach Nizza zu fahren, sondern es angebrachter gewesen wäre, am letzten Tag meiner Kur eher noch zu Hause zu bleiben oder in der Natur, mit mir und meinem Körper in Ruhe, um bewusst Verbindung aufzunehmen. Nachdem ich ja sechs Tage nichts außer Wasser im Magen hatte, musste ich natürlich sehr aufpassen, um mich nicht sofort vollzustopfen, mit irgendwelchen ungesunden, schädlichen Nahrungsmitteln und deren Giftstoffen, die ich ja gerade versuchte aus meinem Körper zu entlassen.

Ich wusste durch das Internet, dass frischer Grapefruit Saft den Darm anregt, besonders nach einer langen Entgiftungskur, und so suchte ich verzweifelt einem Bioladen auf, um diesen Saft zu finden. Danach informierte mich das Internet, einen viertel Apfel, ganz langsam, lange zu kauen und zu schlucken, um den ganzen Verdauungsapparat wieder schonend in Gang zu bringen. Anschließend sollte ich eine Pause einlegen, bis das Stück Obst verdaut wurde, danach Gemüsesuppe, Salat, natürlich alles Bio, einnehmen. Endlich fand ich diesen Laden durch die Anleitungen einiger netten Passanten, die alle kreuz und quer auf dieser immensen Einkaufsstraße, wie von der Tarantel gestochen herumliefen.

Endlich, endlich essen, kauen und etwas Konsistenz, Breiiges im Mund genießen, dann endlich schlucken, "angenehm", ich fuhr ganz behaglich, respektiv meinem Magen gegenüber, fort. Für diese innigst, seit langem erwünschte, erwartete, besinnliche Zeremonie, setzte ich mich in die Sonne auf eine kleine Mauer in einer naheliegenden, ruhigen Seitenstraße, um mit Andacht ein Stückchen dieses kleinen saftigen, lange ausgewählten, rotgelben Apfels zu verköstigen, es war eine außergewöhnliche, ungewohnte Sensation in etwas Hartes zu beißen und zu kauen, nach so langer Pause.

Zuvor trank ich behutsam, mit sehr viel Wasser verdünnt, einen Schluck von dem kostbaren Grapefruitsaft, den ich mir mit dem wertvollen Apfel zusammen gekauft habe, der zwar sehr erfrischend, aber für meinen jetzt ver-feinerten, fast neutral gewordenen Geschmack viel zu konzentriert gezuckert war.

Mai 2016

9. Mai

Lange wieder nichts geschrieben, habe entweder keine Laune oder keine passende Energie, die da immer vom Bauch rauskommt, dazu gehabt, oder auch keine Zeit. Alles zusammen ist das Ergebnis, dass jetzt schon ein paar Wochen keine Zeilen an dich von meinen bewegten Erzählungen gekommen sind.

Bin heute früh mit einer kleinen Blasenentzündung aufgestanden. Diese Art von unangenehmem Brennen kommt regelmäßig bei mir vor, es ist eigentlich keine richtige Infektion, das habe ich schon abchecken lassen, ich glaube nur, dass dieses schmerzvolle Brennen im Bereich des Urètres (Harnleiter), psychisch bedingt ist.

Gestern war ich mit einem Freund zusammen, der einen schrecklichen familiären Unfall zu verkraften hatte. Er war in einer ziemlich traurigen Stimmung, aber wir verbrachten trotzdem einen angenehmen Vor- und Nachmittag bei ihm, wir wollten eigentlich spazieren gehen, aber später bereitete er uns einen gegrillten Fisch zu und wir begleiteten das köstliche Gericht mit Champagner, vielleicht war dies für mich zu viel des Guten, nachdem ich schon seit langem keinen Alkohol mehr getrunken habe.

Diese Beziehung zwischen uns ist für mich rein freundschaftlich, was er für mich empfindet, weiß ich nicht genau, er kennt hingegen meine Gefühle ihm gegenüber, die habe ich ihm schon seit einiger Zeit anvertraut. Als wir uns verabschiedeten, bat er mich, uns in die Arme zu nehmen, es fühlte sich anfangs ok für mich an, er streichelte sanft meinen Rücken über dem T-Shirt, und ich ließ es vertraut zu, das dauerte eine Zeitlang, nach einer Weile schmiegte ich meinen Kopf gegen seinen Pullover und ließ mich fallen, ohne zu kontrollieren, dennoch, irgendwle spürte ich in mir Vorsicht, danach erklärte ich ihm, dass ich jetzt gehen werde und er akzeptierte meinen Wunsch, ohne zu versuchen, mich zurückzuhalten.

Möglicherweise ist dieses Brennen in meinem Intimbereich dle Antwort meines Körpers, weil ich mich berühren ließ und eigentlich keine affektive Anziehung für ihn empfinde und auch keine intime Beziehung mit ihm eingehen möchte. Es kann sein, dass ich mich schuldig fühle wegen dieser Streicheleinheiten, sie an mich rangelassen zu haben, mein innerer Richter verurteilt mich vielleicht und die innere Wut drückt sich durch den Schmerz im Intimbereich aus. Das Brennen, das ich jedes Mal verspüre, im Blasenbereich, kommt, glaube ich, noch von meinen unangenehmen Erfahrungen auf dem Gebiet der Sexualität, als ich noch ein kleines Kind war und ich von einem Verwandten der Familie nicht mit Respekt im Bereich meiner Intimität berührt wurde. Vielleicht ist auch Angst vorhanden, eine intime Beziehung mit ihm einzugehen, da ich festgestellt habe, wenn mich eine Person nicht körperlich anzieht, dass es nicht nur physisch bedingt ist, weil er mir nicht gefällt, sondern, dass meine Angst vor einer festen Bindung und den damit einhergehenden Schmerzen danach, diese Art von Austausch nicht zulässt.

Seit meinem letzten Internet-Kontakt, wo ich meinem österreichischen Jugendfreund eine schriftliche Frage gestellt habe ich weiß, er braucht immer ein paar Tage, bis er endlich von sich hören lässt warte ich immer noch auf seine Antwort. Bedauerlicherweise habe ich kein modernes Handy, bei dem ich automatisch durch ein Signal benachrichtigt werde, wenn eine neue Nachricht eintrifft, somit muss ich immer auf der Facebook Seite im Computer nachschauen, um zu wissen, ob er sich endlich entschieden hat, einen Flug zu buchen und mich zu besuchen, so wie er es mir ja angeboten hat.

Es war interessant, ich fing an, die Beziehung langsam loszulassen, nichts mehr von ihm zu erwarten, ich wollte abwarten, bis er endlich irgendeine Meldung von sich gibt und so löschte ich ihn aus meiner Messagerie (Briefkasten) von Facebook, vernichtete den ganzen Schreibaustausch, der seit Oktober zwischen uns stattgefunden hatte.

Ich war fest entschlossen, diese Beziehung zu vergessen, sie loszulassen, nicht mehr auf ein Lebenszeichen von ihm zu warten, generell keine Erwartungen in Bezug auf ihn mehr zu hegen.

Und als dies vollbracht war, fühlte ich mich leichter, freier, begann wohlgelaunt meine neugewonnene Verhaltensform zu genießen, mich an sie zu gewöhnen, denn allein kann ich nur zufriedener, glücklicher und ausgefüllter sein. Ohne einen Mann, auf den ich warte, mir auch noch eine Illusionszukunft oder Illusionsmomente mit ihm ausmale, die im Nachhinein eh nicht eintreten werden.

Es dauerte nicht lange und er schrieb mir, dass er kommen will, mich besuchen werde, und zwar während der Feiertage im Mai.

Ich glaubte nicht richtig zu lesen, diese Nachricht weckte intensive Emotionen in mir, Angst und Bauchweh sowie Herzklopfen, ich antwortete ihm allerdings erst am nächsten Tag. Ich war natürlich aufgeregt und freute mich einerseits, anderseits beruhigte ich meine Vorfreude sofort wieder: „Achtung, aufpassen, meine liebe Tanja"! Zumal er schon öfters Versprechungen mich anzurufen oder mich zu besuchen nicht eingehalten hat und so sagte ich zu mir, dass sein Besuch bei mir in Frankreich sowieso nicht sicher ist. Ich schrieb ihm zurück, dass es ok ist, wenn er kommt, fragte ihn, wann denn genau? Zwei Tage später, immer noch keine Antwort. Irgendwann war mir das Warten zu bunt, ich entschloss instinktiv, ihn anzurufen, er hob natürlich nicht ab, ich hinterließ ihm eine Nachricht und bat um Rückruf. Kein Rückruf den ganzen Tag und Abend nicht, zu meiner Überraschung fand ich am nächsten Tag eine Antwort auf Facebook, wo er nach dem Namen des Flughafens fragte und mir anbot, in zwei Wochen zu kommen. Ich antwortete ihm, dass dies nicht möglich sei, da ich verreise und in Marokko sei, aber es mich freuen würde, ihn in einer Woche bei mir begrüßen zu dürfen, ob das ok ist für ihn? Keine Antwort!

Ich lasse wieder einmal locker, lerne, mich nicht mehr so in eine Warteposition zu versetzen, natürlich freue ich mich, wenn ich ihn wieder sehe, aber ich werde mir immer bewusster, dass diese Art von Beziehung nur meiner persönlichen und spirituellen Weiterentwicklung hilft, ich in dieser Hinsicht auf keinen Fall auf ein bestimmtes Resultat warten kann, sondern mich umgehend nur auf mich konzentrieren werde. Klar ist, dass da zwischen uns keine konstruktive Beziehung geknüpft werden kann, geschweige denn ein Leben miteinander und gemeinsame Träume zu verwirklichen.

Also danke ich ihm innerlich, mir diese Möglichkeit zu geben, auch wenn es schwierige, aber notwendige Herausforderungen sind, um anschließend jedes Mal wieder zurück in meine Herzgegend zu gehen und zu versuchen, mich nicht in den Emotionen meiner Sentimentalität zu verlieren.

Meditieren und annehmen, was da auf mich zukommt, ebenfalls, wenn nichts kommt, falls jedoch Gefühle wie heute, Wut, Ärger und Stress hervorkommen, sie akzeptieren, spüren und loslassen.

Ich weiß wirklich nicht, was in ihm vorgeht, um solche, für mich unverständlichen Reaktionen zu haben, aber ich habe heute auch panische Empfindungen wahrgenommen, als ich daran dachte, falls er ja wahrhaftig hierherkommt und vielleicht schon, bevor ich am Donnerstag in einer Woche nach Marokko fliege, bin ja seelisch gar nicht darauf vorbereitet.

13. Mai - Frankreich

Ja, bin wieder aktiv im Schreibmodus, habe aber trotzdem nicht genügend Zeit, möchte nur meine emotionale Lage bekanntgeben, die durch einen Schreibaustausch mit Johann stattgefunden hat, die in mir Wut, Frust und meine Cystite (Blasenleiden) wiedererweckt hat, auch Enttäuschung verbunden mit Traurigkeit, die anschließend eh immer automatisch bei mir kommt, nach der Wut und der Frustration.

Es ist immer so, wenn er mir etwas Angenehmes verspricht, dieses Versprechen dann hinauszögert, mit einem Hin und Her, einmal ja und dann muss ich warten, bis Antwort kommt, oder einem nein, aber doch noch eine andere Proposition (Vorschlag) hinterher, die wiederum Hoffnung in mir erweckt, ihn doch noch irgendwann zu sehen, dann doch wieder nicht. Diese Ungewissheit ist irritierend für mich, es geht jetzt so hin und her, seit ich ihm das letzte Mal geantwortet habe, als er beschloss zu kommen. Oder wahrscheinlich hat er auch gar nicht die Absicht, ich glaube, es geht nur darum, mit mir in Kontakt zu bleiben. Vielleicht meint er es doch ernst, mich besuchen zu kommen, nur sind seine Ängste plötzlich stärker, ihm bewusster geworden, weswegen es ihm unmöglich erscheint, sein Versprechen halten zu können und er versucht sich dann aus der Versprechung zu lösen.

Was mich betrifft, ich versuche jetzt meistens im Herzen zu verweilen, doch manchmal funktioniert es mir nicht, die körperlichen Gefühle und Emotionen sind zu stark, ich lerne sie zu akzeptieren, obwohl ich auch wieder sehr intensiv die gewohnte Lust verspüre, diese ganze Geschichte einfach zu beenden.

Aber wie beenden, was noch nicht angefangen hat? Ihn verbieten, mich zu kontaktieren, sich nicht mehr mit mir in Verbindung setzen, so wie ich es bei Jean-Baptiste auch gemacht habe? Ist das eine Lösung für mich auf meinem Weg des Erwachens?

Ich habe nur Angst, dass ich dann so eine ähnliche Situation noch einmal in meinem Leben anziehe und das reicht mir jetzt, diese gleichartige Geschichte wiederholt sich ja schon zum vierten Mal in kurzer Zeitspanne. Immer die gleiche Situation, sehr ähnliche Gefühle und alles ist mit dem Affektiven verbunden.

Warum ist es für mich so schwierig, immer mit sehr viel Leid verbunden, mit einem Mann, der mich auf verschiedenen Ebenen anzieht, ein paar Momente, ein Wochenende oder ein paar Tage zu verbringen, gemeinsam aufzuwachen, mich festzuhalten, ihn zu riechen, ihn zu spüren, mich dabei zu spüren und so weiter, du weißt, was ich mir wünsche.

In meinem Körper drückt sich diese Frustration dann durch Müdigkeit, Blasenkatarrh, also ohne Infektion, momentan zum Glück nur durch Brennen, Lebens- und Unternehmungs-Lustlosigkeit aus.

Ich habe auch bemerkt, als er mir schrieb und mir vorschlug, ihn in Wien zu besuchen, er lud mich zu ihm nach Hause ein, ich soll dort bei ihm schlafen, da war ich hochjauchzend erfreut und überglücklich, jedenfalls, als er dann während des hin und her Schreibens und während wir ein passendes Datum aussuchten, immer mehr kein Platz in seinem Terminkalender fand und wir zusammen keine harmonische Lösung treffen konnten, da habe ich

spontan die Lust verloren, wollte schon alles hinschmei-
ßen und die Beziehung oder unseren schriftlichen Austausch sofort verärgert beenden.

Will nicht mehr schreiben, warten, nicht mehr in der Zukunft leben, bis endlich etwas Angenehmes, Erwünschtes
auf mich zukommt, das ohnedies nie kommt, will nur wieder dieses Gefühl haben, alles ist in Harmonie, auch wenn
momentan keine gewürzten, erfüllenden Lebenssituatio-
nen in meinem Leben sind.

Obwohl ich in dieser meiner neuen Lebensepoche viele
Dinge, ohne Lust oder Passion (Leidenschaft) angehe, sind
meine Wochenenden mit mehreren Dates gefüllt, nur, damit ich nicht allein zu Hause herumsitze und dieses Alleinsein spüren muss.

Meine abwechslungsreichen, unterhaltsamen Beschäf-
tigungen ernähren mich bedauerlicherweise nicht, weil
ich und mein Körper andere Vergnügen gewohnt waren
und auch durch mein langes extremes Stressleben vergiftet wurde, ich mich in einer Entziehungskur von extrem
schädlichen, sinnesernährenden früheren Erlebnissen befinde.

Die Situationen und Ereignisse, die mich momentan ernähren würden oder die ich mir wünsche, sind leider nur
von sehr kurzer Dauer oder kommen gar nicht zustande
oder kommen nur in meiner Imagination vor. Warum dauert das bei mir so lange, einfach nur Daseinsfreude, Glückseligkeit, Wohlergehen und Erfüllung durch einfache
Dinge verspüren zu können?

Es ist frustrierend und ich bin wütend auf das Leben allgemein, auch auf mein Leben und meine Entwicklung, es
gibt kein Ausruhen für mich und kein mich Gehenlassen

können in den Armen eines lieben, anschmiegsamen, einfühlsamen Mannes, der mich verwöhnt, sich um mich kümmert, für uns organisiert, die männliche Rolle übernimmt, damit ich endlich meine weibliche Seite neu entdecken, wieder zum Leben erwecken kann.

Oh ja, kann ich doch, und zwar bei meinen respektiven männlichen Freundschaften und durch sie, lerne ich auch sehr viel, weil es auch neu für mich ist, mich darin zu erfahren mit einem Mann befreundet zu sein, ich bedanke mich bei ihnen;

Gehe jetzt arbeiten, das ist die einzige ernährende Beschäftigung, die ich noch liebend gerne mache und das Geld, das ich damit verdiene, da es mir die Möglichkeit gibt, hier im Paradies in Ruhe mit meinem Sohn leben zu können.

30. Mai

Ja, ich weiß, Du darfst dich beklagen, ich verstehe Dich, war ziemlich beschäftigt und faul, ohne Aktions-Energie, keine Motivation, irgendetwas aufzuschreiben, es ist viel vor sich gegangen und ich habe auch heute nicht viel Lust, Dir alles zu berichten, es geht hier schließlich um mein privates Liebesleben und ja auch um meine professionelle Zukunft.

Hierzu kommt auch noch die Gegenwart, die mir da dauernd Rätsel aufgibt, durch einige, überraschende komplexe Situationen, mit denen ich natürlich überhaupt nicht gerechnet habe.

Wollte nur meine Ruhe und meiner talentierten Berufung nachgehen, den Strand genießen, Tantra-Praktiken ausüben, Yogaübungen machen und meditieren, meine Freunde sehen, mich mit ihnen amüsieren, mit ihnen ausgehen und das einfache Leben, ohne irgendwelche neue defis (Herausforderungen) lernen zu genießen.

Nein, da wurde zu viel von mir verlangt, ich muss mir ja immer, wenn es eine Zeit lang eher friedlich vor sich geht und ich mich endlich ausruhen darf und die reibungslos ablaufenden Geschehnisse endlich genießen könnte, etwas neues als Ziel setzen. Als ob da in mir irgendein Teil ist, der mich ohne Pause dynamisch in eine neue Richtung drückt. Weiß nicht, woher dieses Verhalten bei mir kommt, mich nicht mit harmonisch ausgeglichenen Situationen zufriedengeben zu können.

Diesmal beschäftigt mich ein neues Thema, eventuell teilweise nach Wien zu gehen, um dort zu massieren, mir dort einen neuen Kundenkreis aufzubauen, den ich coachen und begleiten kann. Ich stelle mir vor, so einmal im Monat, eine Woche zu Beginn oder so, hinzufliegen, irgendwie in der Richtung, damit ich Mama öfter sehe, meine paar Freunde, mit denen ich noch in Verbindung stehe, und mich wieder mit meinem Heimatland verbinden, mich von ihm und seiner traditionellen Seite verwöhnen lassen kann. In Wahrheit fehlt mir doch ein wenig die populäre Sprache, die Seele Österreichs und Wiens, die Traditionen, das Grüne, die Heiden, Berge, die Menschen, das ganze Land halt und ja natürlich und vielleicht auch ein bisschen mein Wiener Jugendfreund, der ja nach x Jahrzehnten wieder aufgekreuzt ist und meine ganzen Gefühle durcheinander gebracht hat.

Während meiner Marokkoreise war ich in Agadir und in Marakesch bei einer marokkanischen Freundin eingeladen, die ich hier in Frankreich vor acht Jahren kennengelernt habe, als ich noch meine Berufung als Relookeuse (Farb- und Stil-Beraterin), ausübte und bei meinem ex-chéri (Ex-Freund), in Sophia Antipolis ein Studio dafür zu Verfügung gestellt bekommen habe.

Das war auch wieder so eine Reise, kurz, aber intensiv. Gefühlsmäßig und auch erfahrungsmäßig war ich ziemlich erstaunt über die Verhaltensweisen, die dort noch herrschen, gegenüber der inländischen und ausländischen Frau, genau ja gegenüber einer Ausländerin. Auch meine marokkanisch-französische Freundin verhält sich dort völlig anders als in Frankreich, es gibt dort kein am Abend ausgehen und sich nicht mehr schön machen, oder seine natürlichen Körperformen elegant, raffiniert unterstreichen, dieses Verhalten spricht für sich selbst. Die Reise war sehr interessant, aufschlussreich und doch fremd für mich.

Ich denke wieder an meine neue Herausforderung, wenn ich diese Idee mit dem regelmäßigem nach Wien pendeln und dort Massieren verwirklichen werde, brauche ich Visitenkarten, ein Konzept muss überlegt werden, um Kunden zu finden. Ich habe vor, schon in zwei Wochen hinzufliegen, und einen transportfähigen Massagetisch habe ich von einem Freund im Austausch für ein paar Massage-Sessions bekommen.

Leider fand ich keinen geeigneten Namen für meine Aktivität, die ich auf die Visitenkarten schreiben wollte. Da ich ja mindestens zweihundertfünfzig Karten drucken muss, das ist die Minimum- Anzahl, und diese eher teuer sind, wollte ich sie auch gleich hier in Frankreich verwenden können und so musste der Text international sein, und zwar in Englisch, dann kann ich sie in Österreich und gleichzeitig in Frankreich verwenden.

Habe dann vor, einen internationalen Kundenkreis zu massieren, jedoch zu einem höheren Preis als hier in Frankreich und dann später auch hier in Frankreich meine Quanten Heilsessions zu höheren Preisen anzubieten, ein bisschen erhöhen. Das ist natürlich eine neue Herausforderung für mich, meinen persönlichen Preis, also mich, mein Können, meinen Entwicklungsprozess, meine Lebenserfahrungen teurer zu verkaufen, dies heilt auch gleichzeitig einen verwundeten Teil in mir, hilft meinen Selbstwert zu stärken, den ich jetzt schon seit einiger Zeit tagtäglich fördere und zu respektieren lerne, um ihn anschließend auch von der Außenwelt respektiert zu bekommen.

Dazu kam, dass eine deutsche Kollegin, die in Nizza ihre jahrelang gut funktionierende Tantra-Initiation-Aktivität aufgibt und zurück in ihr Heimatland fliegt. Sie ist eine Spezialistin auf diesem Gebiet, sucht jemanden Ebenbürtigen, der ihren Kundenkreis übernehmen kann und dachte an mich, jedoch sind ihre Massagen sehr speziell, da sie auch auf die intimen Bereiche ausgerichtet sind, obwohl sie aus spirituellen, gesundheitlichen und therapeutischen Gründen massiert, heilt, begleitet und auch gleichzeitig Trainerin ist, speziell in Deutschland dafür staatlich diplomiert wurde, ist sie die einzige an der Côte d'Azur, die sich auf diesem Gebiet spezialisiert hat. Ich wollte mich jedoch nicht in diese Richtung weiterentwickeln. Bei meinen begleiteten Sessions geht es eher um bewusste Achtsamkeit im Präsent-Sein, verbunden mit traditionellen taoistischen und tantrischen Atem- und Visualisierungs-Techniken, die ich in unterschiedlichen Workshops und Kursen übermittelt bekam und meine eigenen, an mir ausprobierten Methoden, die ich mir selber zusammenstellte, um meine Kunden auf ihrer inneren Reise zu mehr Selbstliebe und energetischer Sensibilisierung zu begleiten.

Eigentlich würde ich diesen Kundenkreis gerne übernehmen, habe aber heute noch eine Blockade in Bezug des Massierens im Intimbereich, ich will das nicht tun, auch nicht aus gesundheitlichen, heilenden oder spirituellen Gründen, auch nicht, wenn es in Deutschland staatlich anerkannt ist.

Ich treffe sie und dann werde ich weiter schauen, müsste diesbezüglich auch noch eine spezielle, taoistische Massage-Technik erlernen, diese Art von Berührung hilft, die Lebensenergie, die meistens im Beckenboden-Bereich blockiert ist, wieder zu befreien, um sie dann im ganzen Körper zu verteilen. Diese Lebensenergie-Verteilungs-Methode im ganzen Körper praktiziere ich schon, aber nur mit Atem- und Visualisationsübungen, zusammen mit den bekannten Mula Bandhas, den Muskelverschluss Praktiken im Intimbereich.

Habe diese spezielle traditionelle Massagetechnik zwar schon öfters ausprobiert, sie dadurch schon ein wenig gelernt, aber nicht regelmassig genug angewendet, leider ist diese Technik wirklich sehr protokoliert, entsprechend energetisch, intensiv erwachend, heilend und Energie anregend.

Dann hat mich auch noch nach einer zweiwöchigen Schreibpause, mein Jugendfreund angerufen, weil ich mit ihm nach einer von ihm gesendeten Facebook-Nachricht aus Dubai am frühen Morgen, nicht mehr mit ihm über Facebook schreibend kommunizieren wollte, er soll mich halt anrufen, wenn er sich mit mir austauschen möchte und das tat er zu meiner großen Überraschung auch. Ich dachte eigentlich nicht, dass er sich noch einmal bei mir meldet und seine Ängste auf der Seite lässt.

Es war ein lustiger, anregender, herzlicher Austausch, der da am Handy stattfand.

Die Reise nach Südafrika, Kapstadt hat ihm angeblich gutgetan, er kann dort jetzt öfter beruflich hinfliegen.

Er denkt oft an mich, nimmt mich fest in seine Arme und drückt mich, und küsst mich überall, wo ich es mir wünsche, ...!

Was für eine Deklaration, er wollte von mir ebenfalls liebenswürdige, herzliche, nette Worte hören, leider mir fiel nichts anderes ein außer, dass ich ihn liebevoll daran erinnerte, meine vielen langen lieben Mails zu lesen, die seien übersät mit liebevollen Worten für ihn, nur damit das Gleichgewicht wieder zwischen uns hergestellt wird!

Er will jetzt im Juli kommen, und zwar sicher, nach allen seinen Geschäftsreisen!

Vielleicht ja, vielleicht nein, bei ihm weiß man nicht, ich muss sehen, um zu glauben. Zu oft hat er mir es schon versprochen und nicht gehalten!

Ich habe ihm aber dann schon verraten, dass ich für ein paar Tage nach Wien komme, und zwar in zwei Wochen, obwohl ich ahnte, dass er das schon von unserer gemeinsamen Freundin erfahren hat. Ich erinnerte ihn daran, dass ich aus beruflichen Gründen komme und dass dies Vorrang hat und meine Mama natürlich auch.

Ich habe mich trotzdem über seinen Anruf gefreut und den lieben Austausch, nachdem ich seit vielen Monaten nicht einmal seine Stimme gehört habe, ich passe aber auf und lasse mich diesmal nicht total von meinen Glücksgefühlen überrumpeln, die haben mir ja schon so oft ein Spielchen gespielt und die Traurigkeit war dann die Folge, immer vigilant (wachsam), bodenständig bleiben und in der Gegenwart, nicht die Zukunft mit Illusionen und Filmen ausschmücken, es kommt ohnedies nicht so wie ich es mir vorstelle, in der Gegenwart bleiben, im Hier und Jetzt verbleiben, *auch ein paarmal an gestern und das Gespräch denken*. Wow, mir war ganz heiß im Körper, es war angenehm, dieses Gefühl, es könnte öfter da sein.

Achtung, meine liebe Tanja, du ernährst soeben deine leere affektive Seite, Abhängigkeit kann zustande kommen. Aufpassen. Vigilance (Wachsamkeit).

Juni 2016

5. Juni

Da bin ich wieder, habe wieder einiges erlebt und wenn ich fleißig jeden Tag schreiben würde dann hättest du mehr Informationen über mein Leben bekommen. Vielleicht kommt auch einmal ein Buch davon raus, aber wann ist es denn eigentlich fertig? Ich könnte so mein ganzes Leben lang weiterschreiben und es würde dann nie ein Ende geben, vielleicht gibt es auch nie eines.

War heute Radfahren bis hin zum Cap d'Antibes ein guter Freund hat mir sein Rad geschenkt, nachdem meines den Geist aufgegeben hat bzw. die Reparatur dafür teurer war als das Fahrrad selbst.

Aber sein Fahrrad ist ohnedies angenehmer zum Spazierfahren, auch wenn es manchmal ziemlich sportlich zugeht und mir dann alle Muskeln in den Beinen weh tun, hier ist es eher buckelig als flach und so wird das angenehme Spazierenfahren automatisch zum anstrengenden Sport.

Sitze momentan auf meiner Terrasse gegenüber meinem Apartment, also eher ebenerdig, ein kleiner liebevoll bepflanzter Garten, wenn man diese kleine Grünfläche vor meinem Eingang so nennen darf.

Habe mir vorgenommen, Dir heute zu schreiben, da nämlich mein lieber Freund in Wien, mich vor einer Woche in zwanzig Minuten zurückrufen wollte. Ich warte sowieso nicht mehr auf seinen Rückruf, aber trotzdem: „Warum verhältst du dich so, warum versprichst du immer etwas, was du nicht einhalten kannst? Höre auf damit!"

Natürlich habe ich mich schon daran gewöhnt und bin auch über sein Verhalten nicht mehr überrascht oder traurig oder böse, aber ich hätte gerne seine Version seiner Handlungsweise kennengelernt, seine Motivation erfahren den Grund seines ungewöhnlichen Verhaltens.

Seine Ängste, seine Blockaden, die ihn in seinem natürlichen, spontanen Verhalten möglicherweise hindern, das zu tun, was er gerade intuitiv spürt, was im Augenblick richtig für ihn ist.

Somit gewinnen wahrscheinlich seine Ängste die Macht über ihn und sein affektives Leben und nicht sein natürlicher Elan.

Was das bei mir auslöst, ist sehr unterschiedlich, eine Mischung aus Warten, nach einer Stunde kein Warten mehr, nur annehmen, später löst das Wut und Traurigkeit aus, hinterher tut es mir leid, dass wir keinen ausgeglichenen Kontakt haben können, dass zwischen uns anschließend kommunikative Ruhepausen von ungefähr zwei bis drei Wochen kommen, nachdem ich jetzt von mir aus keine Initiative mehr ergreifen möchte.

Dann meldet er sich gewöhnlich über Facebook mit einem neuen Vorschlag, dass wir uns jetzt irgendwann doch treffen werden, zum Beispiel entweder er kommt oder er lädt mich ein zu sich nach Wien.

Aber dabei bleibt es auch, da er meine unterschiedlichen Datumsvorschläge ja nicht einmal beantwortet, so geht es schon seit ein paar Monaten, einen Schritt nach vorne und fünf zurück, vielleicht gibt es ja von ihm überhaupt keine Antwort mehr, oder sehen uns nie wieder, wer weiß!

Ich bin mir noch nicht im Klaren, wie ich mich zukünftig diesbezüglich verhalten werde, im Moment kommt von mir keine Nachricht mehr, ich lerne souverän, bewusst in der Gegenwart zu leben, meine augenblicklichen Gefühle anzunehmen, die teilweise durch sein Verhalten oder nicht-Verhalten ausgelöst werden.

Wenn ich in Wien bin, weiß ich auch noch nicht, ob ich mich bei ihm melden werde, nachdem er ja sowieso auf Geschäftsreise fährt, zwei Tage nach meiner Ankunft. Ja, da ist wieder mein verletzter kleiner Ich Ego-Anteil, der sich ausdrückt und Dir schreibt, er darf, ich lasse es zu, er ist halt noch nicht ganz geheilt.

Ich überlasse die Weiterentwicklung dieser Beziehung, oder soll ich eher schreiben nicht-Beziehung, meiner Seele, unseren Seelen, da ich die Gewissheit habe, dass, was ich in der Außenwelt in meinem Dasein anziehe oder auch nicht anziehe, am besten für meine spirituelle Evolution ist.

Meine neuen Visitenkarten habe ich mit einem Fachmann im Design ausgearbeitet, diese Prozedur hat eine ganze Woche gedauert und zwar ein Hin- und Herschreiben und Modelle herum schicken und Änderungen vornehmen und ein nicht wissen, was genau drauf zu schreiben ist und der Name, der ja genauso von Österreichern wie Ausländern und Franzosen verstanden werden muss weil ich vorhabe, diese Visitenkarten in Wien und hier an der Côte d'Azur zu verteilen.

"Body & Soul" war meine finale Entscheidung und nicht "inner-travelling & massage-coaching", wie das vor ein paar Wochen als Idee in meinem Gehirn entstand.

Habe auch meinen gewünschten Massagetisch erfreulicherweise bekommen, es war ein Geschenk des Himmels, der kommt mit auf meine Reise nach Wien, wofür ich das

Ticket schon gekauft habe, falls die Fluggesellschaft dies autorisiert.

Dann habe ich vor, meine zwei Wiener Kunden, die ich im Hotel in Frankreich regelmäßig massiere, in Wien dann zu kontaktieren, um ihnen meine Ankunft mitzuteilen, sie haben mir bei ihrem letzten Massagebesuch in Antibes schon ihre Telefonnummer hinterlassen. Freue mich natürlich, falls sie in Wien ebenfalls meine Stammkunden werden und vielleicht machen sie mir ja auch anschließend Werbung, die kann ich dort als Neu-Anfängerin ja sehr gebrauchen.

Nachdem ich noch keine Praxis in Wien miete, muss ich sie bei ihnen zu Hause massieren, sie gleichzeitig bitten, mir das Taxi für die Fahrt zu bezahlen, oder aber eine andere Möglichkeit wäre, ein paar weitere Massagetermine für ihre Freunde und Bekannten gleichzeitig bei ihnen zu Hause zu organisieren, damit sich das Hin und Herfahren lohnt.

Dann habe ich vor, ein paar exklusive Hotels, Spa- und Wellnesscenter, Yoga- und Pilates-Studios, Schönheitssalons, Fitnesscenter und renommierte, schon etablierte Massagestudios abzuklappern, währenddessen dabei zu spüren, in welchem Umfeld ich mich wohl fühlen könnte, wo ich eventuell sowohl meine energetischen Quanten-Heil-Massagen und Coaching-Erfahrungen, als auch meine tantrischen Trainerfähigkeiten anbieten und teilen möchte.

Dieser berufliche Neubeginn in einem anderen Land wird für mich eine Herausforderung und zwar im Sinne meiner Polarität, bezüglich meiner männlichen und weiblichen Seite, nachdem ich diesmal nicht vorhabe, als männlicher Kämpfer „ich möchte … und das will ich und dort muss es sein"-Methode vorgehen werde, sondern es mit der weiblich intuitiven „ich öffne diskret aber souverän ein paar Türen in dieser Richtung, lass dann auf mich zukommen und spüre mich hinein"-Devise, versuchen möchte, was gleichzeitig eine ganz neue Verhaltensweise für mich darstellen wird. Hoffe, ich schaffe das.

Bis jetzt habe ich mein zahlreiches Vorgehen in Bezug auf Wunsch-Ziel-Umsetzungen nur als Kontrollierende wie „ich habe eine Idee und die muss um jeden Preis-im-Amazone-Kämpferin-Style umgesetzt werden" realisiert. Neu wäre das Verhalten „ich gebe mir die Möglichkeit, mich in einem neuen Land beruflich auszuprobieren und habe dabei nichts zu verlieren, es geht nur darum, mich neu zu erfahren, ich überlasse ab jetzt meiner Seele das Steuer, um die perfekt dazu passenden Gelegenheiten, Orte, Menschen Situationen anzuziehen, das Beste für mich auszusuchen, mich nachträglich nur mehr vertraut, gelassen, ruhig hinein spüren in die neu in mein Leben getretenen, abenteuerlichen Gegebenheiten, mich im Nachhinein diesmal beruhigt zurücklehnen und abwarten, wie sich die jeweilige Situation entwickelt.

Das bedeutet aber nicht, dass ich nicht irgendwelche Aktionen in Stand setzen werde, nein ganz und gar nicht. Aber nicht mehr mit der gleichen Energetischen Verhaltensform, ich spüre folglich, ob eine bestimmte Situation für mich eigentlich in Frage kommen könnte oder nicht, wie sie sich anfühlt, überlasse anschließend dem Universum quasi die Entscheidung, auf meinen inneren Wunsch in Wien regelmäßig meiner Berufung nachgehen zu können, zu antworten oder nicht.

Wenn es zustande kommt, habe ich gleichzeitig die Möglichkeit, mich mit meinem Geburts-Land auszusöhnen und zu ernähren.

Ob mein Jugendfreund mich dabei begleiten will und wir dann die Zeit gemeinsam nützen, um uns besser kennenzulernen, die Zukunft wird mir die Antwort darauf geben?!

***Ich finde es schade, dass zwei Menschen, die sich gern haben und sich einen Partner fürs Leben wünschen, nicht zusammen kommen wegen multiplen Ängsten, aber es ist nun mal so und ich spüre irgendwie, dass mein Wiener Jugend Freund vielleicht nur in mein Leben getreten ist, um mir irdisch, menschliche, Bewusstseins- und Erkenntniserfahrungen zu ermöglichen und nicht um mich affektiv zu ernähren, zumal ich das ja selber lernen und tun muss. Manchmal bin ich in dieser bewussten Schwingung, in der ich das alles weiß, und kann es leicht akzeptieren, integrieren, damit eigenverantwortlich umgehen, und dann bin ich manchmal auf einer anderen, tiefer vibrierenden Schwingungsfrequenz, wo ich vielmehr Wut verspüre und zwar genau auf dieses universelle Lebensgesetz, das nämlich aussagt „Ich ziehe genau das in meinem Leben an, was ich gegenwärtig brauche, um noch freier, liebender und autonomer zu werden, um mich eben zu erfahren" und auch auf meine Seele, die sich nur durch meinem physischen Körper in dieser materiellen Welt ausprobieren will, deswegen hasse ich sie und bin echt wütend, dann wieder auf mich und meine gefühlsmäßige Abhängigkeit dem Mann gegenüber, den ich mir für diese Erfahrung unbewusst, obwohl jetzt auch schon bewusst, ausgesucht habe.

Es tut mir alles so leid, bin traurig, hoffnungslos, denn seit meiner letzten katastrophalen Beziehung vor einigen Jahren mit einem pervers-narzisstischen Mann, habe ich kein einziges Wochenende im Bett mit einem liebevollen Partner verbracht, gemeinsam kuscheln, morgens in seinen Armen gemeinsam aufwachen, hinterher frühstücken und dann irgendetwas zusammen unternehmen.

Ich bin dann trostlos, verzweifelt, niedergeschlagen und sehr traurig, dass seither meine ganze persönliche Zeit, nur für das mit mir alleine sein und mich selber ernähren lernen, während meiner affektiven Entzugsperiode verwendet wird, nur damit ich mich nicht mehr vom anderen Geschlecht abhängig mache, mich in einer Beziehung zum Mann nicht mehr verliere, mich darin vergesse.

Also, ich meine damit, von einem männlichen Wesen, der mich auch seelisch anzieht, den nicht nur ich anziehe, da wären schon ein paar, aber mit denen will ich nicht unbedingt in der Früh gemeinsam im Bett liegen und innige câlins (Umarmung) machen, nur Freundschaft ist ok, das muss ich auch lernen, das gehört zu meinem Heilungsprozess.

Jedes Mal während dieser unendlich langen Single-Periode, wenn ich einen Partner, der mir gefällt, von dem ich mich affektiv angezogen fühle, kennenlerne, wird entweder gleich der Beginn, oder überhaupt eine kurze Dauer des sich gegenseitigen Kennenlernen unmöglich, es gibt dann „zufälligerweise" nur Blockaden, schon sofort nach dem ersten Rendezvous oder manchmal kurz anschließend, während des Versuchs, in eine nähere Beziehung mit ihm zu kommen. Entweder gibt es Verspätungen oder Komplikationen ihn zu treffen und ihm näher zu kommen, oder nach einer langen geduldigen Wartezeit auf ein endliches Treffen, kommt unvorhergesehen auch schon das Ende, ohne dass überhaupt ein richtiger Anfang stattfand, die Gelegenheit gab es gar nicht.

Es erscheint immer, unmittelbar zu Beginn eine Blockade, entweder der Herr fühlt sich neben mir nicht gut genug, nicht stark genug, nicht männlich genug, oder er traut sich nicht weiter zu machen, andernfalls lernt er dann ganz spontan, zufällig jemand anderen kennen, verliebt sich obendrein oder es geht so vor sich: Es ist ein kurzes Hin und Her, wenn man sich trifft, wie zum Beispiel, eine Stunde da, schnell, schnell, oder dort noch rascher, kein Wochenende natürlich, das geht mir alles auf die Nerven und ich beende dieses unsichere, nervende Verhältnis einfach.

Diesmal habe ich entschieden, mich nicht mehr so zu verhalten, nachdem ich die gleichen oder sehr ähnlichen Vorkommnisse immer wieder in meinem Leben anziehe, lerne ich mich emotional zu reinigen, mich ohne diese Beziehung oder diese nicht-Beziehung, zu beenden, mich von dieser Person und auch gleichzeitig von dieser Geschichte zu lösen, noch besser, mich auf andere Situationen und noch besser auf mich selber, mein jetziges Leben zu konzentrieren.

Eigenständig lerne ich mich mit viel Zuversicht anderweitig zu ernähren, und zwar auf natürliche, nicht toxische Art und Weise, dies in vielen unterschiedlichen Bereichen, auf allen Ebenen, emotional, körperlich, mental, energetisch und spirituell.

Mich nicht mehr hundertprozentig in diese Warteposition zu begeben, um mich dort dann nicht mehr zu verlieren und meine Gedanken nicht mehr von einer einzigen Person und der damit verbundenen Illusion, dass etwas von mir Erhofftes irgendeinmal stattfinden könnte, ernähren.

Neu versuchen, mein Leben ausgeglichen zu gestalten und wenn dieser Abhängigkeitsdrang erscheint, lernen, mich nicht lange davon beeinflussen zu lassen.

Diesen Mangel spüren, anerkennen und hinterher loslassen.

Nachdem ich es gewöhnt bin, meinen Daumen zu lutschen, hilft mir dieser natürliche affektive Ersatz-Mechanismus sehr, der sicher für meine Zähne nicht so vorteilhaft ist, aber für meine innere, seelische Zufriedenheit und Ruhe umso mehr.

Habe auch bemerkt, dass, wenn ich meinem Körper nur ein Mal am Tag Nahrung zuführe, ich ihn dadurch langsam daran gewöhne weniger zu mir nehmen zu müssen, bin davon überzeugt, dass es mit dem affektiven Teil in mir ähnlich geht. Es wird dadurch wesentlich leichter, dieses Gefühl anzunehmen, es weniger schmerzhaft zu spüren als früher, möglicherweise sogar weniger lang.

Habe weiterhin festgestellt, wenn ich keine Neuigkeiten von ihm erhalte oder nicht mit ihm in der materiellen Welt in direkter Verbindung stehe, dann wird ein Teil in mir schwächer von ihm ernährt und das Leid ist im Nachhinein nicht mehr so überwältigend, vergeht dann von allein. Hingegen, wenn ich ihn wiedersehe, oder mit ihm telefoniere, dann ist das Gefühl, das ich spüre, so stark in meinem Körper wie eine Droge, es ernährt mich einen Tag lang völlig, aber danach erwacht der Entzugszustand und der Schmerz beginnt wieder von neuem.

Interessant, der ganze Ablauf, also wie mache ich es am besten, um dennoch mit der geliebten Person in Kontakt bleiben zu können, mich aber nicht mehr im anderen zu verlieren, mich mit dem Wunschpartner nicht mehr ausschließlich zu ernähren, damit in Zukunft auch kein Entzugsgefühl entsteht? Wahrscheinlich ist dieser unwillkürliche Vorgang aber auch nur bei sehr leidenschaftlichen Beziehungen der Fall, da einige erlebte Verhältnisse zu anderen Männern, überhaupt keine Leere oder so stark abhängige Gefühle bei mir erweckt haben.

Wie kann ich mich augenblicklich verhalten, zu dem Zeitpunkt, wo ich mit ihm in Kontakt trete, damit sich dieses Gefühl nicht mehr so stark in mir ausbreitet, nicht so viel Macht über mein Wesen bekommt, sodass es alles andere von meinem Leben ausschließt, um nur noch als einzig bedeutungsvolle Nahrungsquelle zu existierten, ich unmittelbar danach wieder diese Leere erlebe?

10. Juni

Bin im Moment am Swimming-Pool in meiner Residenz, die Sonne ist schon sehr stark und brennt gewaltig. Ich habe mich unter den Schatten eines Baums, der mir glücklicherweise als Sonnenschutz dient, niedergelassen, gemütlich ausgestattet mit all meinen unerlässlichen Sachen, die ich immer hierher mitschleppe, Lehrbücher, Mini-Ordinateur (Laptop) mit dem ich Dir jetzt schreibe, Serviette, Öl, Sonnenschutzcremes, Lese-Sonnenbrillen, Hut, Wasserflasche, Handy, Yogapolster und -Teppich, habe dadurch die Möglichkeit, in jedem Moment zu vollbringen, was sich da augenblicklich als Energie an die Oberfläche schleicht. Das kann sein: lesen, schreiben, faulenzen, meditieren, telefonieren, schlafen, Wecker einstellen und mich wecken lassen, trinken, Yoga-Atmungs- oder Achtsamkeitsübungen praktizieren, lesen, tanzen, mich selbst massieren, schwimmen, Natur betrachten und so weiter und sofort. Für mich ist es immer äußerst wichtig, viele verschiedenen Gegenstände bei meinen Ausflügen dabei zu haben, damit ich in jedem Moment die Utensilien habe, die augenblicklich zu meinen energetisch, sich in Form ausdrückenden Impulsen passen.

Bin schon seit ungefähr zwei Stunden hier und genieße immer wieder aufs Neue diese speziellen, ruhigen Momente, mit der wunderschönen Aussicht auf das vor mir liegende dunkelblaue Mittelmeer, das Cap d'Antibes, die vielfältig variierten Bäume, Pflanzen, die Pinien und die exotisch, mediterranen Pflanzen, die da überall um mich herum fröhlich blühen, den erfrischenden, großflächig, türkis-grünen Swimmingpool und den azurblauen Himmelskörper.

Ich habe mir lange im Voraus diesen Wohn- und Lebensort für meine innere Weiterentwicklung vorgestellt, in meiner Mind erschaffen, mit einer Visualisierungstechnik genau ausgemalt, lange Zeit zuvor, vier Jahre habe ich warten müssen, bis sich dieser Wunsch erfüllt hat, endlich in mein Leben getreten ist, und jetzt lebe ich hier und empfinde mich dadurch sehr ausgeglichen, fühle mich so wohl und kann mir außer einer Villa direkt am Meer gar keinen besseren Ort zum Wohnen vorstellen.

Habe heute meine neue taoistisch-energetische Heil-Massage auf meiner schon existierenden Webseite noch zusätzlich angeboten. Ein weiterer Schritt in Richtung energetische Quanten-Massagen.

Ich habe auch einen höheren und für mich ungewohnten Preis angegeben, damit auch ein Teil in mir, der noch Angst bezüglich des Geldes erlebt, das ich eigenständig versuche zu verdienen, überwunden werden kann. Bin stolz auf mich und es tut gut immer einen Schritt weiterzugehen, meine selten gewordenen zur Oberfläche tretenden Ängste, langsam, aber bewusst zu überwinden, die noch von den unvorteilhaften Glaubenssystemen in mir stammen.

Es hat mich auch sehr gewundert, dass er mich angerufen hat, als ich ihn darum gebeten habe, ich freute mich sehr und ich spürte sofort diese Anziehung wieder hochkommen, starke energetische Schwingungen waren zu spüren die einer inneren Ernährung gleichkamen. Ich habe seine Stimme gern, die so ungewöhnlich lieblich für mich klingt und seinen lieben Wiener Akzent, wie auch der langsame Tonfall seiner Worte, der mir die Möglichkeit gibt auch stiller, ruhiger zu werden, mich präsent zu spüren, meine sensitiven Seiten wahrzunehmen. Der weibliche Pol in mir kam hervor, wie jedes Mal, wenn er mit mir spricht, meine sensuelle Seite ist aufgeblüht, ja, ich habe unser Gespräch einfach unbeschreiblich genossen. Er erzählte mir von Rosen, die in seinem Garten blühen, dieses Thema Pflanzen verbindet uns schon zum zweiten Mal. Das letzte Mal, als ich in Wien bei ihm in der Wohnung war, hat er mir den Samen einer Glyzinie als Geschenk mitgegeben, den ich anschließend hier in meinem kleinen Garten gepflanzt habe.

Ich mag seine einfache Art mit mir zu sprechen und seine Herzlichkeit, er erwähnt mir gegenüber sehr gefühlvolle Aussagen, auch persönlich intime, die höre ich gerne, weil wenn er sie ausspricht, es ziemlich selten ist. Ich weiß auch, dass er zu diesem Zeitpunkt mit seiner weiblichen Seite verbunden ist, sein Herz vorsichtig öffnet und er zu diesem Zeitpunkt mit seinen innigsten Gefühlen verbunden ist, dies bewegt mich, weil es direkt in mein Herz geht. War sehr schön dieser Austausch und auch fürsorglich, als er mir vorschlug, mich wieder ordentlich zu ernähren, dass er für mich kochen wolle, nachdem ich ihm von meinen Fastenerfahrungen erzählte. Er gab mir den Eindruck, mich mästen zu wollen, damit endlich etwas Anständiges in meinem Magen hineinkommt und hat mir deswegen ein Wienerschnitzel versprochen, das er für uns zubereiten wird, freue mich schon, auch wenn er sein Versprechen wieder nicht einhalten kann, hab ihn trotzdem lieb. Noch jemand, der sich um mich kümmert, der sich über meine Ankunft in Wien freut, dass tut gut, danke dafür.

So, ich gehe jetzt, muss im Hotel massieren, Kunden warten auf mich, die gerne meine heilenden und ernährenden Berührungen spüren möchten. Morgen erzähle ich Dir die Geschichte von meinem Massagetisch und dem Flugzeug bei der Fluggesellschaft, Bussis, danke, dass du mir immer so geduldig zuhörst.

15. Juni - Nizza

Hallo, grüße dich, heute ist der 15 Juni, bin noch in Nizza am Flughafen, sitze aber schon im Flieger nach Wien. Wir starten gerade, Mozartmusik, rotgekleidete Stewardessen, Wiener Dialekt, und es schüttet draußen, eher selten hier, ich glaube, schon in Wien gelandet zu sein.

Fliege für ein paar Tage nach Wien, um meinen Massagetisch dort hinzubringen und mich gleichzeitig beruflich niederzulassen.

Habe schon zwei Massageanfragen von meinen Hotelgästen hier aus Antibes bekommen, die in Wien leben und die mir ihre Handynummer bei ihrem letzten Aufenthalt im Hotel hinterlassen haben. Ich darf sie telefonisch kontaktieren, sobald ich in meiner Heimatstadt ankomme.

Freue mich schon, ich habe auch schon meinen Massagetisch mit einigen Umständen mitgenommen, und zwar musste ich langwierig mit der Fluggesellschaft herumtelefonieren, um den Preis des zusätzlichen Transportes des übergroßen Gepäckstückes zu erfahren, da der Tisch ja viel grösser als ein normales Gebäckstück ist, aber nicht schwerer. Vorher musste ich mich auch noch auf die Suche nach dem Tisch begeben, fragte deswegen überall in meinem freundschaftlichen Umkreis herum und auch meine Bekannten in den sozialen Netzwerken. Und tatsächlich, ein Freund von mir brauchte seinen nicht mehr, bot mir den Tisch gegen ein paar Massagen an, somit bekam ich den Tisch quasi gratis. Er ist angenehm leicht zu tragen, breit genug für voluminöse Leute, mit angenehmer Polsterung, damit die Kunden komfortabel liegen. Die Farbe gefällt mir nicht, aber die ist ja ohnehin verdeckt vom Laken. Ich bestellte noch Verbreiterungspolster, damit die Arme meiner Kunden nicht immer seitlich herunterrutschen, zusätzlich noch neue, naturweiße Flanell-Laken. Der Tisch hat zwar kein Loch für das Gesicht, wie ich es gewohnt bin, aber er hat zusätzlich einen Ansatz, den man aufstecken kann für den Kopf, bin es nicht gewohnt so zu massieren, eigentlich ist alles ja nur Gewöhnungssache und vielleicht ist diese Position angenehmer für meine Kunden, einen guten Grund wird es schon geben, wenn dieser eigenartige Massagetisch jetzt zu mir kommt.

Am Anfang hat man mir mitgeteilt, dass der Transport dieses „XX-large" (groß) Gepäcks um die hundert Euro zusätzlich zu den Servicekosten betragen würde, somit legte ich diesen Geldbetrag auf die Seite, jeder meiner Freunde, dem ich diese Geschichte erzählte, riet mir einen Tisch in Wien zu kaufen oder ihn mir dorthin liefern zu lassen, aber ich war der Meinung, dass dieser Massagetisch jetzt zu mir gekommen ist, er deswegen auch gleich mit kommt, er war für meinen österreichischen, beruflichen Gebrauch bestimmt, es war ein Geschenk des Himmels, ich habe ihn ja gewünscht.

Ich wollte in Wien nicht noch einen Tisch suchen müssen und ihn anschließend in die Wohnung von Mama transportieren, nein ist mir zu kompliziert.

Und so stopfte ich noch ein paar Kleider und einige andere unerlässliche Sachen, die nicht mehr in den Koffer passten, in die Tragetasche vom Massagetisch, musste aber aufpassen, die autorisierten dreiundzwanzig Kilos nicht zu überschreiten. Das wurde zu einer Tagesaufgabe für mich, weil ich ein paar schwere Geschenke für meine Mutter mitnehmen wollte, die ich aber gleich wieder auspacken musste, infolgedessen die Tragetasche immer wieder aufs Neue abwiegen, abwiegen, abwiegen musste, auf dieser kleinen Personenwaage, die verschwand ja noch dazu sofort unter dem Riesen-Gepäckstück.

Das Handgepäck durfte nicht schwerer als acht kg sein, da musste ich auch zu viel Eingepacktes herausnehmen, mich schließlich entscheiden, was wirklich notwendig war mitzunehmen, wieder ein Kopfzerbrechen mehr, da es für mich eine sehr schwierige Aufgabe darstellte. Für mich, die ohnedies nie vorher weiß, was sie, während ihrer Reisen anziehen wird.

Zu guter Letzt hat keiner diese Gepäckstücke auf ihr Gewicht kontrolliert und als ich schließlich am Check-in-Schalter ankam, sagte mir die nette Dame: „Es ist gratis, nichts ist zu bezahlen."

Jeder sagte was anderes, glücklicherweise habe ich mir hundert Euro gespart, nur angenehme Überraschungen, ein gutes Zeichen für meine beruflichen Experimente in Wien.

Bedauerlicherweise gab es gestern keine erfreulichen Nachrichten. Bezüglich meiner Visitenkarten, die mir so wichtig und heilig sind, habe ich keine angenehme Erfahrung gemacht, sie stellen gleichzeitig mein berufliches Image dar und ich wollte etwas graphisch Edles aber auch gleichzeitig Zen haben.

Ein Bekannter, er ist von Beruf Grafiker, hat mir früher schon, als ich als Stil- und Farbberaterin hier in Frankreich mein Unternehmen erschuf, mich selbständig machte, Flyer entworfen (das wird mir eine Lehre sein). Er ist einfach nicht auf meine Wünsche eingegangen, stresste permanent herum, war andauernd unterwegs, alles husche husche, auf die Schnelle, keine Zeit, sich richtig um meine Bedürfnisse zu kümmern. Somit schrieben wir uns nur, ein Hin und Her, übers Mail, ungefähr dreißig Nachrichten, die eine ganze Woche beanspruchten. Ich hatte hinterher die Nase wirklich voll und ihm deswegen vorgeschlagen uns endlich zusammenzusetzen, dieses Modell für meine Visitenkarten jetzt gemeinsam fertig zu gestalten, nachdem sie ja auch noch gedruckt werden mussten. Ich entschied mich für ein Soft-touch Model mit vernis selectif (glänzendem selektivem Lack), dreidimensional, aber jedes Mal antwortete mein Bekannter, dass es zu lange dauern wird und es nicht funktionieren wird. Weiter hin und her, am Ende bekam ich endlich meine Karten, wobei ich im Vorhinein schon spürte, dass sie nicht so aussehen, wie ich es mir innerlich gewünscht habe. Ich bekam ja das Modell nur am Bildschirm meines Computers, der weit entfernt von Professionalität ist, zu sehen, noch dazu in übergroßer Dimension, nicht im Format einer Visitenkarte. Ich war schockiert und verärgert, es war haarsträubend. Da ich aber bald nach Wien musste und jeder meiner Bitten endlich den Auftrag zu beenden, um drucken zu können, ausgeschlagen wurde, sagte ich dann irgendwann erschöpft "Ja und Amen" zum letzten aufgezwungenen Vorschlag des endgültigen Visitenkartenmodels. Schließlich brauchte ich die Visitenkarten dringend für meine Vorstellungsgespräche in den verschiedenen Hotels und Massagezentren, die ich vorhatte zu besuchen.

Als ich die Karten einen Tag vor meiner Abreise abholte und zu Gesicht bekam, was er da produziert hatte, war ich sprachlos, enttäuscht und verärgert. Tränen kamen mir hoch. Ich konnte die Schrift nicht sehr gut lesen, man hätte eine Lupe gebraucht, und der dreidimensionale Vernis (Lack) war ein normaler Vernis, Schreibfehler waren obendrein zu erkennen und ich hatte den Eindruck, er hatte da schnellstens irgendetwas ungewolltes erschaffen, hinterher schnell ausdrucken lassen, nur damit ich die Karten noch rechtzeitig bekomme. Es war überhaupt nicht so wie es ausgemacht wurde. Auch preislich viel zu teuer für den einfachen, banalen Glanzlack. Ich war zutiefst enttäuscht, ich konnte doch nicht mit diesen Karten beruflich nach Wien gehen.

Warum ist mir das passiert, was kann ich darunter verstehen, gibt es etwas zu verstehen? Mir das nächste Mal mehr zu vertrauen vielleicht? Ich spürte ihn ja sowieso nicht, seit dem Anfang schon nicht, aber nachdem er mir seine Webseite gezeigt hatte mit den schönen Visitenkarten-Modellen und da ich weiß, dass er ein renommierter Professioneller in der Grafikbranche ist, ich zusätzlich unter Zeitdruck stand, hatte ich mich eben für ihn entschieden. Dabei hatte ich gleich nach seinem ersten Modellangebot den Eindruck, er macht sich über mich lustig, es war zum Kotzen, meine graphischen Realisationen sind zwar nicht professionell, aber tausendmal besser und schöner als seine.

Also er merkte irgendwie, dass ich nicht glücklich darüber war und schlug mir vor, sie noch einmal neu zu machen, wenn ich wieder aus Wien zurückkäme, aber da war es doch schon zu spät!

Ich verstehe nicht, wie man sich trauen kann, solche Visitenkarten zu machen und sich professionell nennen.

Er hat jahrelange Erfahrung, ich glaube, er hatte einfach keine Zeit und erledigte meine Bestellung auf die schnelle

Tour, leider noch dazu zu einem sehr teuren Preis, demselben, den ich für eine bessere Qualität gezahlt hätte, einen Euro pro Karte, da kann ich sicher etwas Luxuriöseres und Professionelleres erwarten.

Eine Leselupe braucht man auch noch dazu, um die Schrift zu entziffern, auch für Junge gut sehende Menschen. Wieder eine Erfahrung mehr.

24. Juni - Frankreich

Hallöchen, bin seit Mittwoch wieder bei mir in Frankreich, aber bei mir ist ja jetzt auch in Wien.

Ja, es gibt natürlich viel zu erzählen, wie meistens ich weiß ja gar nicht, wo ich diesmal wieder anfangen soll, am besten berichte ich Dir über meinen jetzigen emotionalen und physischen Gefühlszustände, somit kann ich wiederum einfacher in das Erlebte zurückgehen.

Also ich habe Halsschmerzen, aber keine Entzündung oder irgendeine Krankheit, nein es ist emotional energetischer Natur, im Chakra des Halses. Irgendetwas wurde da nicht von mir herausgelassen, jetzt tut mir dieser Halsbereich weh, der Körper drückt etwas aus, ich kann aber nicht genau verstehen, nur empfinden, woher das kommen könnte.

Es hat alles damit angefangen, als ich in Wien aus dem Flieger stieg und wusste, dass mich mein Jugendfreund abholt. Ich verspürte natürlich sehr viel Nervosität, ich kann dies genau jetzt noch einmal nachempfinden, im gleichen Moment, in dem ich Dir schreibe.

Angst machte sich bemerkbar, natürlich, und es tut auch jetzt noch im Hals weh, wenn ich nur daran denke.

Ich war sehr aufgeregt, während ich mein Gepäck abholte, also meinen Massagetisch, du weißt, der kam aber nicht heraus mit diesem Laufband, man schickte mich von einem Schalter zum nächsten, erklärte mir unverständlicherweise ich solle auf den Gepäckslaufteppich schauen für XXX Größe, ob er da vielleicht rauskommt, der Herr, der dort dann alles überwachte, meinte einfach nur ich solle halt warten. Da kam aber nichts, also ging ich zum

Hauptinformationsschalter, berichtete ihnen meine Situation, die telefonierten wie wild mit ihren Kollegen herum, um meinen Tisch zu finden. In letzter Minute kam die Information, der Massagetisch sei irgendwo hängengeblieben, hatte das ganze Laufband System zum Stillstand gebracht. Die Techniker mussten ihn erst wieder losbekommen, das Ganze durcheinander dauerte ungefähr dreißig Minuten.

Ich wurde dadurch immer nervöser, mein Freund hatte mir ja versprochen, mich abzuholen, obwohl er dreißig Minuten nach meiner Ankunft erst ankommen konnte. Weil er noch ein paar Sachen im Büro zu erledigen hatte, war das Timing mehr als perfekt, genaue dreißig Minuten nach meiner Ankunft kam der Tisch endlich aus seinem Versteck hervor. Ich ging fröhlich mit ihm und meinem kleinen Koffer auf einem Waggerl hinaus durch den Abholausgang und noch weiter in dieser Richtung, erkundigte mich, ob es mehrere Ausgänge zum Parkplatz gäbe, wo ich ihn treffen sollte, oder nur einen einzigen. Keiner konnte mich darüber informieren, also nahm ich den ersten für mich sichtbaren Ausgang. Als ich draußen ankam, standen überall Taxis herum, dahinter entdecke ich den Parkplatz, wo er mich mit seinem Auto abholen würde. Ich schaute überall herum, sah aber sein Auto nicht, auch nicht ankommen. Ich dachte zuerst, dass es in Wien auch so ein Abholsystem gibt wie in Nizza „kiss and fly", wo die Autos hintereinander im Schritttempo vorfahren und ich sofort, ohne in die Parkhalle gehen zu müssen, einsteige.

Plötzlich also bekam ich eine Nachricht übers Handy mit der Frage wo ich sei, ich antwortete und gab meinen Standpunkt an. Er beantwortete meine Nachricht mit der

Frage wo das genau sei und dass er drinnen auf mich wartete.

Komisch ich hatte ihn gar nicht gesehen, schon zu Beginn unseres Treffens verfehlten wir uns, *guter Anfang*, zum Glück gibt es Handys. Nach ein paar SMS kam er endlich heraus und bewegte sich vom anderen Ausgang auf mich zu, ich auf ihn, ich war nervös und es war mir unangenehm, fühlte mich ein bisschen komisch dabei, keine Ahnung, warum dieses zusammen-aufeinander zugehen, so etwas in mir auslöst.

Als wir schließlich in Augenhöhe standen, noch immer mit dem großen Waggerl in meinen Händen, hatte ich den Eindruck, er versuchte mich auf dem Mund zu küssen. Ich schob sofort das Gepäck bei Seite, nahm ihn in meine Arme, big hug, wusste nicht, was ich sagen solle. Peinliche Situation, ich erwähnte nur, dass wir uns verfehlt hätten, drinnen, dass er mich nicht gesehen hatte, wie ich herausgekommen bin, war ein bisschen sehr nervös, bin solche "l'eau de rose" (Rosenwasser) Szenarios nicht gewöhnt.

Ich roch sein zartes Parfüm, das mir sehr diskret erfrischend erschien, nur der feine Hauch genügte mir, um mich an seinen Geruch zu erinnern, den ich vor sechs Monaten in Wien gerochen habe, für sehr angenehm empfand. Kenne leider den Namen nicht von seinem Parfüm.

Er war einfach gekleidet, Jeans und helles Hemd bedeckt mit einer braunen leichten Raulederjacke, die ich schon vom Winter her kannte.

Wir gingen zusammen zu seinem Wagen und tauschten ein paar belanglose Wörter miteinander aus.

Er erzählte mir, dass sein bester Freund verliebt sei und dass er soeben drei Stunden mit ihm am Telefon verbracht hatte. Als er das Gepäck-Waggerl zurückbrachte und wieder zum Auto zurückkam, fragte ich ihn, ob ich noch ein big hug bekommen könnte, er kam näher und wir nahmen uns in die Arme, ein bisschen länger als zuvor. Ich spürte aber von seiner Seite aus ein sich nicht ganz loslassen können in unserer Umarmung.

Später antwortete ich ihm: „Wenn die neue Freundin seines Freundes in Linz lebt, ist es besser für seine Frau, weil es weiter weg ist." Blöd, solche Sachen zu sagen, es ist mir unklar, wie ich darauf kam. Die Arme. Betrug ist Betrug, Wurscht wo, egal, wie weit weg!

Im Auto zeigte er mir, wo ich meine Handschuhe im Winter bei ihm im Auto gelassen hatte, ich freute mich, dass er sie aufgehoben hatte.

Wir sprachen auch über unsere gemeinsame Jugendfreundin Susi, die ihn heute schon früh angerufen hat, um ihn am Abend zu treffen. Sie hatten sich schon einige Zeit lang nicht mehr ausgetauscht, wie er mir erklärte, da sie angeblich beleidigt sei.

Er meinte zu ihr, dass er keine Zeit habe, er müde sei und deswegen heute früh ins Bett gehen werde. Also bekam ich Angst und dachte mir, dass er mich vielleicht heute Abend aus diesem Grund auch nicht sehen möchte. Noch dazu erfuhr ich, dass es Fußball im Fernsehen gab und er ein treuer Fan davon ist, somit schwand meine Hoffnung immer mehr, ihn heute Abend, nachdem er mich zu meiner Mutter gebracht hatte, zu treffen. Ich empfand Frustration und Enttäuschung, fragte ihn jedoch trotzdem, ob wir uns sehen werden, so wie es schon über ein Telefonat in Frankreich ausgemacht war. Für den nächsten Abend versprach er, ein Wienerschnitzel für mich zuzubereiten, ich freute mich schon darauf.

Er schlug vor, dass ich ihn über WhatsApp kontaktieren solle, um uns später am Abend wieder zu treffen, diesmal bei ihm natürlich.

Ich antwortete, dass ich mit meinem Steinzeitalter-Telefon kein WhatsApp hätte und dass ich ihn mit dem Telefon von Mama kontaktieren würde.

Ich freute mich sehr auf unser Wiedersehen.

Wir sprachen über seine Fußball-Leidenschaft und seine frühen Interessen. Es interessierte mich sehr, ich schlug ihm deswegen vor, mir das alles später genauer zu erzählen, ich kann mich bedauerlicherweise an nichts mehr erinnern. Eigentlich habe ich den größten Teil meiner Vergangenheit ausgeknipst.

Sein Freund ließ mich auch sehr lieb grüßen. Der, der verliebt war, aber nicht in seine Frau, sondern in die Linzer Freundin.

Wir sprachen über meinen Sohn, über meine Pflanze, die aus dem Samen wächst, den er mir zu Weihnachten geschenkt hatte.

Er befragte mich über meine Arbeit, ob meine Massagen im Sommer besser funktionierten und ich antwortete, dass dies nur von meinem inneren Zustand abhänge, ob es mir gut gehe oder nicht, und nicht von den Saison-Touristen.

Dann machte er mich auf seine neu gekaufte Brille aufmerksam und fragte mich, was ich davon hielte. Da ich offen und ehrlich bin und nicht lügen wollte, antwortete ich spontan, dass was ich wahr darüber dachte, ohne nachzudenken, ich sagte, dass sie ihm einen leichten Ausdruck von Streberhaftigkeit verliehen und ihn auf jeden Fall jünger erscheinen ließen. Er antwortete, ohne zu zögern, „Diese Brillen sind sehr modern." Und fragte mich, ob er sonst alt aussähe? Ich bemerkte, dass ich das nicht gesagt hätte, nur, dass sie ihn eben jünger machten. Wieder eine unüberlegte Antwort, ich bin wirklich nicht sehr gut mit Komplimenten, noch dazu bei sensiblen Menschen. Ich müsste meine Zunge zweimal umdrehen, bevor ich spreche, es ist schlimm mit mir.

Am Abend hätten wir uns treffen sollen, ja du liest richtig - *HÄTTEN* - ich bekam keine Nachricht von ihm und auf meine SMS um neun Uhr abends keine Antwort. Am nächsten Tag schickte ich ihm meine österreichische Handynummer und er antwortete mir, dass ich ihn gestern nicht früh genug kontaktiert hätte, dass mein SMS zu spät eingetroffen sei, weil er schon um acht Uhr abends eingeschlafen sei. Als ich ihn fragte, ob ich meinen heutigen Abend für ihn freihalten solle, war die Antwort – rate mal – „Nein", da er eine wichtige Besprechung mit einem Kollegen hätte, der ihm wegen steuerlichen Problemen helfen sollte und das während eines gemeinsamen Essens.
So sah ich ihn die ganze Woche meines Aufenthaltes nicht mehr, da er anschließend gleich wieder auf Geschäftsreise fuhr und mich nicht benachrichtigte.

Eine Woche nach meiner Ankunft in Frankreich keine Neuigkeiten von ihm, obwohl ich ihm eine SMS schickte und sagte, dass ich gerne seine Stimme hören wolle.
Eine Woche darauf rief ich ihn an. Zu meiner Verwunderung hob er diesmal ab. Er war nett und freundlich, wir tauschten Informationen über unsere erlebten zwei Wochen aus. Er wollte mich am Abend nochmal anrufen, um mir über seine Eigen-Massage zu erzählen mit dem gutriechenden Öl, das ich ihm und mir zusammengestellt hatte.

Ich konnte aber nicht, ich war auf Strandpicknick eingeladen und sagte ihm, dass ich nicht disponible sei. Er antwortete, er schicke mir eine SMS und natürlich kam nichts mehr von ihm. Eine Woche später schrieb ich ihm über WhatsApp, ich wünsche mir, mich mit ihm auszutauschen, bekam aber keine Antwort!

26. Juni - Frankreich

Bin an meinem Lieblingsstrand am Cap d'Antibes, wenige Menschen, blaugrün-durchsichtiges Wasser, in dem man das Tauchen und Schwimmen genießen kann, zum Glück meistens keine Quallen in der Bucht, fast keine Wellen, sehr selten größere, nur kleine Wellchen, man kann lange und weit hinausschwimmen und es ist immer angenehmes Publikum hier, eher diskret und ruhig, respektvoll den anderen und der Natur gegenüber. Man pickt hier nicht so aufeinander wie auf den meisten anliegenden Stränden, die außergewöhnlich schmal sind, obendrein noch direkt an der Straße und die Autos und Motorräder sausen einem direkt überm Kopf vorüber.

In dieser von mir bevorzugten Bucht befinden sich kleine Steinchen, deswegen wird dieser Ort von den meisten Badelustigen gemieden. Es ist halt ein bisschen schmerzhaft, hier barfuß herumzulaufen und ins Wasser zu gehen, aber mich stört das nicht. Für mich bedeutet es gleichzeitig eine Fuß-Reflexion-Massage. Übrigens schmeiße ich mich sowieso gleich ins Meer, wenn ich einmal meine Füße eingetaucht habe.

Es ist ein schöner, wundervoll vertrauter Tag diesmal, nicht zu heiß, ganz wenig Wind, eine leichte angenehme Brise ist zu spüren, vereinzelt kleine Wölkchen, die da ab und zu herumziehen und die Sonne liebevoll für ein paar klitzekleine Sekunden verdecken, folglich brennt sie nicht so auf mich herunter.

Ich bin heute mit meinem Rad hergefahren, brauchte dynamische Bewegung, und zwar eine intensivere als gestern das Tanzen am Strand mit Freunden zu den afrikanischen Trommelschlägen. Ich konnte natürlich nicht sehr viel mitnehmen auf meinem Rad, leider auch auf keinen Fall meinen unentbehrlichen, großen Sonnenschirm.

War vorgestern bei Freunden eingeladen, in ihrer übergroßen, selbst erträumten, nachträglich erschaffenen, hervorragend platzierten Villa mit super Aussicht auf Cannes und die umliegenden Inseln. Das Anwesen befindet sich auf einem steilen Hügel in Théoule sur Mer, wo ich mit zahlreichen anderen Bekannten, Freunden und mir nicht bekannten Gästen, unvergessliche Momente verbrachte. Ziemlich kontrastierte Musik stand auf dem Programm, jeder durfte sich musikalisch ausleben, ausdrücken, da erklangen die unterschiedlichsten Rhythmen wie Töne von Flamenco, traditionelle indische und iranische Klänge, klassische Arien wurden von einer Polin gesungen, begleitet von Klaviermusik, Gitarrenspielern, Tänzerinnen und einem Chor. Der Hausbesitzer und Gastgeber, der beruflich leidenschaftlich Tierfilme realisiert, stellte uns sein neu entdecktes Gesangstalent vor, es war beeindruckend, amüsant, gewagt, animierend und abwechslungsreich.

Bei diesem festlichen Anlass habe ich einige nette Leute kennengelernt und einen fabelhaften Abend verbracht. Zwei tiefergehende Bekanntschaften zu zwei unterschiedlichen Frauen berührten mich, angenehm und vertraut. Wenn man einen Menschen trifft und sich gleich in seiner Gegenwart wohlfühlt und den Eindruck hat, ihn schon lange zu kennen. Kein Gespräch ist notwendig, sich einfach wohlfühlen, nichts wird erwartet, man ist in praktisch sofort in familiärer Stimmung mit alldem, was man zusammen erlebt, austauscht, wahrnimmt.

Es ist so ähnlich wie das Gefühl, das ich in der Gegenwart meines österreichischen Jugendfreunds verspüre, letztes Mal in seinem Auto in Wien, ich kann einfach ich sein, zugleich fühle ich mich wohl dabei, nichts braucht gesagt werden. Ruhe kehrt ein, wenn ich neben ihm bin, ich kann mich fallen lassen, ohne Kontrolle loslassen, kein Tun ist mehr notwendig, nur spüren.

Ich teilte ihm mit, was ich in seiner Gegenwart wahrnehme: So sein können, wie meine wahre Natur es ausdrückt, keine Rolle mehr spielen oder etwas erzählen müssen, gar nichts tun, ist angesagt, kein agieren mehr, spontan, augenblicklich die Energie, die gegenwärtig präsent ist, ausdrücken, ohne sie zurückzuhalten, noch weniger zu hinterfragen, ob dies so augenblicklich angebracht sei, sich offenherzig, authentisch verhalten im Dasein und Machen.

Ja, ich komme gleich wieder auf meine Österreichreise zurück, aber ich wollte Dir noch eine kleine Anekdote mitteilen, die ich vorgestern am Abend erlebte, eigentlich selbst erfuhr.

Ich habe seit ein paar Tagen Halsschmerzen und manchmal auch so ein Druckgefühl auf meiner Brust, diese Sensationen sind abwechselnd, mal weniger, mal intensiver, später dann wieder spüre ich dieses unangenehm leichte Kratzen in der Halsgegend, dem Halschakra. Bei spezifischen Ereignissen kann es eher sehr heftig werden, obwohl ich mich schon versucht habe, selbst durch mein Händeauflegen an dieser Stelle zu heilen und mich konzentriert in den unangenehmen Schmerz hineingespürt habe, um ihn anzunehmen. Es ist immer noch gravierend gegenwärtig, speziell gestern, als er sehr stark zu spüren war.

Ich wurde zufälligerweise bei diesem Fest einem Afrikaner vorgestellt, der Musiker und Heiler ist, und nahm sein Angebot, sich um mich und diese Unannehmlichkeit zu kümmern, unverzüglich an. Auch ein bisschen, weil ich verstehen wollte, was genau mir dieser unangenehme Druck in meiner Kehle mitzuteilen hat. Es war für ihn eine Selbstverständlichkeit, mir seine Hilfe anzubieten. Er ging unverzüglich in die Richtung seines Wagens, zuvor sagte er noch zu mir er komme gleich wieder, ich nahm an, um etwas darin zu holen. Ich wartete und wartete, das Buffet wurde eröffnet, ich wollte auch schon essen, Hunger machte sich schlagartig bemerkbar, aber er kam und kam nicht. Also entschied ich mich, mir in der Zwischenzeit einen Teller dieser köstlichen Gottesspeisen vorzubereiten, ihm auch gleich einen, somit bereitete ich einen kleinen Proviant vor, falls die Heilungstechnik zu lange andauert, auch er konnte im Anschluss der Sitzung gleich seinen von mir liebevollen zubereiteten Teller genießen.

Seine Frau erklärte mir jedoch, dass dies nicht nötig sei, er möge dies nicht, sei selbständig und wolle sich selbst seine Nahrung zusammenstellen, auch wenn nicht mehr viel übrig sei.

Okay, das akzeptierte ich. Plötzlich merkte ich, dass meine Schmerzen langsam nachließen und bald ganz und gar verschwunden waren. Da kam er wieder auf uns zu. Ich war verblüfft, informierte ihn über das spontane, freie Gefühl, das ich in der Halsgegend verspürte, es fühlte sich befreit, sehr angenehm an. So schnell war es gegangen, wie reine Zauberei. Ich war froh und dankbar über seine

Fähigkeit, jemanden so schnell von seinen Schmerzen zu befreien.

Ich hatte dabei die Sicherheit, dass dies bei mir nicht physischer Natur sei, sondern emotionaler, gleichzeitig energetischer. In der Früh konnte ich mir selbst schon ein wenig helfen, indem ich mich konzentriert in dieses Druckgefühl in der Halsgegend hineingedacht habe, mich ganzheitlich dort hineingehen ließ. Gleichzeitig dachte ich dabei an mein Cheri, da ich nicht wusste, ob diese Sensationen von mir stammten oder ob ich den Schmerz meines Freunds telepathisch verspürte. Ich hatte den Eindruck, als ob etwas nicht ausgedrückt wurde, etwas nicht Ausgesprochenes endlich ans Tageslicht treten wollte, das zugleich unangenehme, körperliche Beschwerden hervorrief, weil es lange unterdrückt wurde.

Ich habe mich also auf diesen Druck konzentriert und die Frage gestellt, was da ist, was nicht herauskommt, ob er mir vielleicht etwas sagen will und sich nicht traut, da plötzlich fing ich an zu weinen. Traurigkeit kam spontan hoch und blieb in meinem Hals stecken, gefolgt von einem lauten anhaltenden Schrei. Ich konnte nicht mehr richtig einatmen, Tränen kamen hervor, mein Mund stand offen, ohne zu atmen, hinterher ein Würgen, Räuspern und endlich, als ich wieder einatmete, weinte ich, nicht sehr lange, währenddessen beobachtete ich mich. Kein Schmerz war mehr zu verspüren. Möglicherweise gehörte mir diese Sensation gar nicht, sondern ihm oder aber wir sind durchs Karma gebunden und es wollte nur durch mich befreit werden und die Situation mit meinem Jugendfreund hat mir die Möglichkeit gegeben, diese Erfahrung zu machen, um eine Blockade loszulassen, diese speziellen

Schwingungen zu transmutieren wie man in Frankreich sagt, die Energieschwingungen zu verändern, sie zu metamorphosieren, sie zu erhöhen.

Ein paar Tage zuvor bekam ich eine Heiltherapie von einer meiner Freundinnen, die genauso wie ich die Berufung als Therapeutin ausübt, dies half mir, verschiedene mir altbekannte Emotionen an die Oberfläche kommen zu lassen und sie dadurch anschließend zu befreien. Wie zum Beispiel die mir ach so bekannte Wut, die ich auf meine Seele habe, weil ich nicht persönlich als Tanja entscheiden kann, was ich erleben will.

Da meine Seele schon vor meiner Geburt alle Szenarios vorausbestimmt hat, die sie in dieser materiellen Welt, Planeten Erde erleben und ausprobieren wird, und sich auf Grund dessen von karmischen Erinnerungen reinigt, um ohne langwierige Umwege den Weg der Union, der Liebe, der Verbundenheit mit dem Ganzen anzutreten.

Heute befindet sich mein Wesen innerlich noch in zwei Teile gespalten, eine Seite von mir, die schon bewusst im Einklang mit dem, was in mein Leben tritt, schwebt, und die dazu gehörenden Gefühle. Der gegensätzliche verletzte Part ist jedoch noch wütend und frustriert und erlebt sich in der Opferrolle, und meint, dass bestimmte Defis (Herausforderungen) sehr hart sind. Ich leide darüber hinaus öfter darunter, da sie unangenehme Emotionen auslösen und ich diese heute noch nicht akzeptieren kann, nicht hundertprozentig in Liebe annehmen kann, weil sie so schmerzhaft sind.

Manchmal schaffe ich es doch, allerdings erlebe ich dieses Mal die Erfahrung, die ich bezüglich meines Jugendfreundes mache, anders, sie ist schwieriger, intensiver und leidvoller zu akzeptieren. Ich verbringe mit dieser Erkenntnis mehr Zeit mit nicht-annehmen-können, als mit loslassen und liebevollem annehmen, was die Empfindungen, die an die Oberfläche treten betrifft.

Wie es zu diesen unangenehmen Emotionen gekommen ist, werde ich Dir jetzt erzählen.

Und zwar verlief die ganze Geschichte so, dass ich aus beruflichen Gründen nach Wien gehen wollte, um mich regelmäßig eine Woche im Monat in Wien beruflich auszuprobieren, mich weiterzuentwickeln, und zwar mit Massagen, Tantra-Workshops, Coaching-Sessions und energetischen Heilmassagen. Folglich bin ich dann endlich wieder mit meiner Mutter zusammen, weil ich ja schon so lange im Ausland lebe. Mir ist auch sehr wichtig, in ihrer Nähe zu sein, falls sie mich aus gesundheitlichen Gründen braucht, und natürlich will ich sie auch mehrmals sehen als nur fünf Tage im Jahr, wie das bis jetzt der Fall war. Nachdem ich früher in Frankreich nicht genug Einnahmen hatte, konnte ich mir natürlich nicht leisten, regelmäßig nach Wien zu fliegen, noch dazu kam, dass ich während meiner Wienbesuche nicht arbeitete und somit zu dieser Zeit kein Geld hereinkam.

Früher gab mir meine Mutter manchmal das Geld für die Reise, aber es war mir unangenehm, deswegen kam ich nicht so oft nach Wien. Was eigentlich nicht ganz der Wahrheit entspricht, es gab auch einen anderen Grund, warum ich nicht regelmäßiger nach Wien flog, es waren immer sehr schmerzhafte, unangenehme Emotionen, die ich da erlebte, wenn ich nach einer Wienreise wieder nach Frankreich zurückkam.

Ich empfand ein entfremdet, ein entwurzelt-sein, mich nicht mehr mit meiner erschaffenen Umwelt hier in Juan les Pins, die mich immer vorher gleichmäßig ausglich, identifizieren zu können. An diese Stelle trat ein starkes Gefühl des Heimweh nach Österreich, nach grünen Heiden und Wiesen, Bergen, Kühen, Düften, Stimmen, Dialekten, Bräuche, Traditionen, Essen, Trinken, typische österreichische Gewohnheiten, Kleidung vom Land und so weiter. Dies alles fehlte mir tiefgehend. Durch die Reisen, die zwar nur eine Woche andauerten, fühlte ich mich plötzlich wieder fremd in Frankreich und benötigte einige Zeit, um mich wieder in meiner gewohnten Umgebung wohl fühlen zu können. Diese Wahrnehmungen waren sehr unangenehm und leidvoll. Dieser Zustand dauerte meistens eine ganze Woche, die ich mit weinen und nicht mehr leben wollen verbrachte.

Die Gemütslage wirkte sich auch völlig auf meine berufliche Welt aus, zumal ich dann einige Zeit brauchte, um wieder Kunden anzuziehen, mich für sie wieder in friedlichen Einklang zu bringen und meinen üblichen ausgewogenen Lebensablauf wiederherstellen zu können.

Juli 2016

1. Juli

Bin am Swimmingpool in meiner Residenz und soeben aufgewacht, es ist ziemlich warm, aber zu meinem Glück weht jetzt am Nachmittag eine kleine Brise, die angenehm meine Haut streift und mich wohltuend erfrischt.

Leider mäht ein Nachbar seinen Rasen, es nervt mich ein starrer Motorlärm, der andauernd aufhört und sofort wieder anfängt, ein paar Bewohner der Residenz spielen im Wasser und lachen ausgelassen, manche diskutieren miteinander. Eine Familie mit Baby und zwei andere Gruppen von Besuchern mit Kleinkindern liegen im Schatten und Unterhalten sich angeregt.

Habe heute wieder einen sehr interessanten Tag erlebt. Das Leben brachte mir einige interessante Kenntnisse zu Bewusstsein. Meine Mutter hat mir ihren uralten Schmuck, den sie schon lange nicht mehr trägt, mitgegeben, um ihn zu verkaufen. Angeblich hat sie in Wien diesbezüglich kein Glück gehabt und sie sagte, ich solle es doch einmal in Frankreich versuchen, was ich auch tat.

Also besuchte ich Anfang der Woche zahlreiche Schmuckgeschäfte, die ich kannte und von denen ich genau wusste, sie könnten eventuell daran interessiert sein. Leider waren sie das jedoch nicht. Die Schmuckstücke, die ich ihnen erwartungsvoll vorzeigte, waren entweder zu altmodisch oder zu eigenartig für ihren Kundenkreis. Während meines Versuchs bekam ich zum Glück einige interessante Informationen darüber, wo ich ihn vielleicht auch noch anbieten könnte, und zwar in einem Auktionshaus, ich bekam sogar den Namen einer Person, die sich um die

Auktionen kümmert und gleichzeitig den Schmuck bewertet.

Da ging ich dann hoffnungsvoll hin, der mir empfohlene Monsieur, der den Verkauf leitet, sagte mir den Mindestwert jedes einzelnen Schmuckstücks, das ich ihm vorzeigte, somit hatte ich eine Idee des globalen Wertes. Wie ich erfuhr, fand die nächste Auktion schon in einer Woche statt und ich musste mich am Ende der Woche entscheiden, ob ich ihm die Wertstücke anvertraue oder sie lieber in einem Schmuckgeschäft als depot vente (Pfandleihe) hinterlege und abwarte, bis dort ein Käufer vorbeikommt.

Am Freitag, also heute in der Früh war der letzte Termin, um den Schmuck als Auktionsguthaben im Auktionshaus zu hinterlegen und anschließend auf den Verkauf zu warten. Danach hat das Pfandhaus einen ganzen Monat lang Zeit, bis sie mich ausbezahlen, vorausgesetzt natürlich, der Schmuck findet einen Käufer. Das war für mich die beste Lösung, da ja auch noch eine Punzierung, also ein Stempel der Auskunft über die Legierung bei manchen fehlte und auf jedes Stück Schmuck drauf musste.

Beim Verkauf durch eine Auktion müsste sich das Auktionshaus vorher selbst darum kümmern, diesen kleinen Stempel anzubringen, somit war dieser Verkaufsvorgang für mich die richtige Lösung und die Kosten dafür fielen auch nicht an mich.

Es gab jedoch noch eine andere Möglichkeit, und zwar, meinen Schmuck bei einem mir schon bekannten Schmuckhändler zu verkaufen, den ich aber montags bedauerlicherweise nicht angetroffen hatte. Deswegen ging ich heute früh noch schnell bei ihm vorbei, bevor ich

meine wertvollen bijoux (Schmuckstücke) ins Auktionshaus gleich nebenan brachte, um noch ein zusätzliches
Angebot zu bekommen.

Wie schon das letzte Mal, als ich in seine Boutique kam,
hatte ich nur mit seiner Aushilfe zu tun, er war angeblich
nicht jeden Tag in seiner Boutique. Vielleicht ist das ein
Zeichen, dachte ich, dass das Auktionshaus wahrscheinlich die bessere Lösung für meinen Schmuck sei, und ich
möglicherweise dort den höheren Verkaufspreis erhalten
kann. Die Entscheidung lag ganz bei mir, meine Mutter
gab mir den Schmuck und sagte, dass ich das Geld behalten solle.

Irgendwie enttäuscht, erklärte ich der Dame, dass ich
schon wieder einmal umsonst gekommen war und anschließend, also in zwei Stunden meinen gesamten
Schmuck dem Auktionshaus zur Versteigerung überlassen
werde und dass es schade sei, dass ihr Chef wieder einmal
nicht im Geschäftslokal sei, wo er doch ein sehr kompe-
tenter Einkäufer sei in dieser spezifischen Branche.

Sie erklärte mir, dass sie telefonisch mit ihrem Chef
sprechen könne und Fotos der einzelnen Schmuckstücke
mache, die sie ihm dann sofort schicke. Sie wollte mir einen Preis vorschlagen, ich solle mich nur ein wenig geduld-
en.

Und nach langem hin und her telefonieren, Fotos schicken und verhandeln, schlug er mir schließlich einen globalen Betrag vor, der sich ein bisschen unter dem, was ich
mir eigentlich erwartete, befand. Ich fragte sofort telefonisch meine Mama, ob dieses Angebot für sie ok war und
sie erwiderte: „Ja, verkaufe alles, das ist angemessen."

Also fragte ich auch mein Inneres, ob es ok war, dass ich den Verkauf jetzt sofort durchzog, oder ob ich lieber warten sollte auf die Auktion und den eventuellen Erlös jedes einzelnen Stücks? Ich nahm mir ein wenig Zeit, setzte mich auf ein Sofa neben der Verkaufsstelle, meditierte mitten im Geschäft und die Antwort war klar und deutlich ja, nachdem ich das Geld auch gleich bekam und nicht warten musste.

Das war ein Zeichen des Himmels, da ich ja vorhatte, das Appartement in Wien für zwei Wochen lang monatlich zu mieten. Deswegen brauchte ich das Geld umgänglich, obendrein musste ich die Wohnung ja auch noch ausstatten. Möglicherweise konnte ich auch meine ersten anfälligen Mietkosten dadurch begleichen, falls ich anfangs nicht ausreichend Umsatz machte, somit half mir das Geld diese eventuellen Kosten in Wien zu begleichen.

Aber da ich lerne, dem Leben zu vertrauen und loszulassen, nicht mehr zu kontrollieren, kam die Antwort über den Verkauf des Schmucks, außerdem habe ich schon meinen nächsten Flug in einem Monat gebucht. Ob ich eine Kaution hinterlegen muss, weiß ich noch nicht, auch nicht, ab wann die erste Miete eingezahlt werden soll, im Fall des Falles habe ich jetzt die finanzielle Möglichkeit, vielleicht ist dieses Geld auch für einen anderen Zweck bestimmt, ich weiß noch nicht, werde schon sehen, die Zukunft wird mir die Antwort geben.

Ich hatte heute Lust, mit meinem Jugendfreund zu plaudern, bedauerlicherweise bekam ich auf meine WhatsApp-Anfrage keine Antwort, wie eigentlich üblich bei ihm, er hebt nur manchmal ab, wenn ich übers Handy anrufe. Aber da ich seine Nummer gelöscht habe, damit ich nicht immer die Einzige bin, die sich meldet, konnte ich ihn diesmal nicht so einfach übers Telefon kontaktieren. Ich fand die Nummer doch, wählte sie, er hat nicht geantwortet. Komischerweise habe ich aber diese Halsschmerzen wiederbekommen, seit heute Vormittag und auch jetzt spüre ich sie noch.

So jetzt gehe ich nach Hause der Lärm vom Rasenmäher wird unausstehlich und das macht mich ganz verärgert, so viel Geräusch in meiner Nähe.

2. Juli - Samstag

Ganz schwieriger Tag für mich heute, bin komplett im Abhängigkeits-Zustand. Ich kenne dieses Empfinden sehr gut, es fühlt sich wie eine Entzugserscheinung an, ist in meinem ganzen Körper zu spüren. Seit ungefähr zwei Tagen empfinde ich jetzt schon dieses Syndrom, ausgelöst dadurch, dass ich natürlich keine Nachricht von ihm erhalten habe. Also es ist immer noch aktiv in mir, diesmal spüre ich es physisch, ich stelle fest, dass mein Körper im Halsbereich, im Herzbereich und in der Solar Plexus-Zone gefüllt werden muss, mit irgendwas.

Leere ist zu verspüren. Mein Hals brennt, mein Herz drückt und die Magengegend ist leer, was eigentlich normal ist, da ich mich ja auf affektiver Ebene fast nicht mit ihm austauschte. Wir sehen uns nur sehr, sehr selten, sprechen gelegentlich einmal pro Woche, manchmal alle zwei Monate ein wenig miteinander, ein paar SMS, ganz kurze Facebook-Messenger Nachrichten und das wars auch schon. Ich bekomme immer deutlicher zu spüren, dass diese Beziehung rein dazu existiert, um meine inneren, alten tiefliegenden Wunden in Bezug Mann bewusst zu erkennen, sie zu spüren, sie anzunehmen und sie später in Liebe loszulassen.

All das macht mich traurig und wütend, weil ich die Nase endgültig voll davon habe, diese Erfahrungen durchzuleben. Seit über sieben Jahren regelmäßig mit verschiedenen Partnern, die in meinem Leben erscheinen und wieder verschwinden, jedes Mal mit denselben Vorgängen, Handlungen, Abläufen und mit der anschließend qualvollen Entzugserscheinung. Abermals ist der Partner, mit dem ich spreche, den ich sehen, spüren oder riechen möchte, nicht disponibel für mich, entweder verliebt sich die Person bald nach unserem Treffen in eine andere Frau oder sie hat Angst vor mir, oder ich bin meinen Bekanntschaften zu männerhaft, oder irgendetwas anderes hält sie von mir entfernt.

Früher habe ich diese unharmonischen Beziehungen einfach nach einiger Zeit abgebrochen und die Person gebeten, mich nicht mehr zu kontaktieren, doch diesmal weiß ich, dass dieses Verhalten auf Dauer keine Lösung ist. Seit ich auf diesem Weg des bewussten Seins bin, habe ich die Gewissheit, dass diese speziellen Personen eigentlich nur in meine Existenz getreten sind, um mir meine noch nicht geheilten Wunden und die dazugehörigen Emotionen, die durch ihr nicht respektvolles Verhalten mir gegenüber ausgelöst werden, oder ihr nicht-Verhalten mir gegenüber, bewusst zu machen.

Ich habe trotzdem genug von diesen Erfahrungen, wenn ich die Situation sowieso nicht ändern kann. Ich habe die Sicherheit, wenn ich wieder Schluss mache, um kein Leid mehr zu verspüren, wird sich die gleiche Situation wieder präsentieren. Dadurch habe ich den Eindruck machtlos zu sein und permanent im Gefängnis zu sitzen, weil ich ja sowieso nicht bestimme, was ich in meiner Gegenwart anziehe.

Heute bin ich wütend und traurig, weil ich die Erkenntnis habe, das diese immer wiederkehrenden Erlebnisse, die meiste Zeit meiner tagtäglichen Hauptbeschäftigung ausmachen, außer arbeiten, durch Massagen meine Kunden begleiten, mein Geld verdienen, ausgehen, tanzen, aufräumen, Tantra praktizieren, Sport ausüben, schwimmen im Meer, Strandjogging, ein bisschen Vergnügen mal da mal dort.

Ich glaube, seit ein paar Jahren charakterisieren diese unharmonischen Situationen mein ganzes Leben, bestimmen es ganz und gar.

Okay, es stimmt, es ist nützlich, ich begleite meine Kunden, helfe ihnen dadurch sich auf demselben Gebiet bewusster zu werden, nämlich die Beziehung und die Liebe zuerst mit sich selber zu lernen, sie anschließend tagtäglich zu pflegen, und sich dann erst um den Partner kümmern, falls schon einer ihr Leben teilt. Sie lernen, sich in Liebe anzunehmen, sich gleichzeitig darüber im Klaren zu sein, dass der passende Herzmensch erst danach in ihr Leben eintreten kann, falls sich noch kein Lebenspartner in ihrem Leben befindet.

Ich habe aber trotzdem genug davon, dies durchzustehen, diese Erfahrung zu erleben, um dann andere Menschen in diesem Bereich begleiten zu können und mit ihnen meine Bewusstseinserkenntnisse zu teilen, es ist wirklich nicht angenehm und heute hasse ich diesen, meinen Lebensvorgang.

Keine Aussicht auf eine harmonische Partnerbeziehung, bei der ich mich endlich einmal loslassen, mich fallen lassen kann, einfach nur nebeneinandersitzend sich spüren und gedankenlos sein können.

Ich habe den Eindruck und das macht mich sehr traurig, dass ich das nie erleben werde, da ich ewig nur an mein Abhängigkeits-Syndrom erinnert werde, um bewusst daran zu arbeiten, mir dabei gleichzeitig klar werden soll, alles was ist, anzunehmen, um es anschließend loszulassen.

Ich bin traurig und sehr verärgert auf das Leben, speziell auf meine Seele, die dies durch meinem Körper erleben will, ich hasse sie dafür. Warum hat sie sich nicht jemand anderen ausgesucht und warum hört dieses Experimentieren, Annehmen, Lernen, Wachsen nie auf? Ich tue es ja schon seit langer Zeit, irgendwann will ich auch etwas anderes erleben, etwas Angenehmes, Ausgeglichenes, Einfaches, nur einen netten Austausch mit einem lieben Partner, der mich problemlos anzieht, sowohl körperlich als auch affektiv.

Obwohl, ich genügend Bekanntschaften in meiner Umgebung pflege, männliche, die nett sind zu mir und mit mir gerne eine engere Beziehung eingehen wollen. Aber ich fühle mich von diesen Männern überhaupt nicht angezogen, nicht auf affektiver und auch nicht auf physischer Stufe. Demzufolge wird daraus nicht mehr als Freundschaft und das wars auch schon. Jedes Mal hingegen, wenn ich mich von einem männlichen Wesen auf affektiver Ebene und auch auf physischem Niveau angezogen fühle, funktioniert dieser Austausch nicht mehr reibungslos. Angenommen, die Beziehung hat doch eine Chance zu beginnen, so wie ich es früher mit einigen Männern erlebt habe, enden sie nachträglich immer in explosiven Katastrophen.

Habe gerade sehr viel Intimes über mich berichtet, sehr lange mitgeschrieben, äußerst wichtige Dinge, die ich mit Dir teilen wollte, Dir anvertrauen wünschte. Zack, da war alles weg, mein Stecker war ärgerlicherweise ausgesteckt gewesen, infolgedessen ist der Computer ausgegangen, er hat fast keine eigene Autonomie mehr, schade, es war wichtig für mich, Dir das alles zu berichten, auch sehr interessant, zur gleichen Zeit heilend, viele Bewusstseinser-kenntnisse sind da hochgekommen. Aber es ist nun mal so, ich kann es nicht rückgängig machen, das Geschrie-bene kam einfach so instinktiv aus mir, der letzte Satz war: *„Ich würde gerne meinen Wunsch, mich mit einem lieben Partner auszutauschen, verwirklichen können"*, aber ich glaube nicht mehr an diese Möglichkeit.

Ich spüre, dass meine Seele ohne äußerliche Reize, was den Mann, meine Leidenschaft und die affektiven Gefühle betrifft, glücklich sein möchte. Das ist mein persönlicher Weg, deswegen schreibe ich hier, darum lebe ich hier auf dieser Erde, meine Seelenmission, meine Lebensaufgabe ist es, dieses Gebiet allumfassend zu erkunden. Wahr-scheinlich, um am Ende meines menschlichen Daseins, al-lein glücklich, ausgeglichen, bedürfnislos und selbstge-nügsam zu existieren.

3. Juli

Es war gestern kein angenehmer Tag für mich gefühls-mäßig. Ich hatte emotionale Schmerzen, die weh taten, zumal ich mich in einem état (Zustand) des Entzuges, affektiv meine ich, befand.

In solchen unerfreulichen Momenten bemerke ich, wo ich genau bin mit meiner emotionalen Abhängigkeit, in Bezug auf einen geliebten Mann. Heute habe ich die Gewissheit, dass es mir in diesem Bereich schon erheblich besser geht als noch vor ein paar Jahren, jedoch ist dieses unangenehme Gefühl in meinem Körper immer noch spürbar aktiv. Gott sei Dank nicht mehr so lang andauernd und auch nicht mehr so intensiv qualvoll wie früher. Aber das reicht mir schon!

Ich habe keine Ahnung, was da gestern genau an Text verschwand, in meinem großen Computer, worin ich Dir meine langjährigen Entzugserscheinungsempfindungen beschrieben habe, freilich kann ich es ja noch einmal erklären.

Als ich die fünfjährige Beziehung zu meiner ersten wirklich großen Liebe beendete, wurde mir diese Gefühlsregung zum ersten Mal bewusst. Diese intensive, prägnante Beziehung, die ich mit diesem Menschen erlebte, ereignete sich vor zehn Jahren ungefähr, ich hatte ihn sehr, sehr gern und war auch gleichzeitig extrem abhängig von ihm, dies in mehreren Bereichen, affektiv, sexuell, finanziell, und in Bezug auf Schutz und ebenso was meine Anerkennung betrifft. Erst nach fünf Jahren konnte ich endlich den Mut aufbringen, mich aus dieser, am Ende überhaupt nicht mehr sehr angenehmen Relation, die eher einer Co-

Abhängigkeit Bindung ähnlich war, zu lösen, indem ich ihn darum bat, er solle mich nie wieder versuchen zu kontaktieren, auf keine mögliche Weise.

Ich benötigte ungefähr drei Jahre, die mit sehr intensivem seelischen Leid verbunden waren, um meine unterschiedlichen Körper wie: der emotionale, physische, psychische, energetische und mentale, von diesem und allen anderen vorherigen, giftigen Verhältnissen zu Männern, die gleichermaßen jedes Mal sehr kompliziert verliefen, zu reinigen.

Ich begann eine Therapie für die Psyche, den Geist und den Körper (Bioenergie, Wilhelm Reich), die mir zu Beginn sehr half. Sie schloss tagtägliche, körperliche Trainingsmethoden, ununterbrochene Achtsamkeit mir gegenüber, das Bewusstwerden meines unvorteilhaften Glauben- und Verhaltenssystem, Träume aufschreiben, usw. ein. Obendrein war ein totaler Umwandlungsprozess meiner herkömmlichen, ungünstigen Gewohnheits-, Gedanken- und Verhaltensformen notwendig, was eigentlich den wichtigsten Teil meiner Heilphase darstellte, die ja eigentlich jetzt auch noch andauert und weiterhin fortbestehen wird.

Aber die ersten drei Jahre kennzeichneten die schlimmste Periode dieser Genesungskur, in der es am intensivsten, demzufolge am schmerzvollsten war. Mein Körper bestand voll und ganz aus Giftstoffen, jahrelang ernährt mit Stress- und Kompensationsverhalten, um ja keine Leere, noch weniger die damit verbundenen, leidvollen Gefühle und all die Emotionen verspüren zu müssen, die im Körper ein Bedürfnis nach affektiver Nahrung darstellten, die nie in natürlicher Form gegeben wurden.

Das Wichtigste während dieser Phase war es, diese immense Leere langsam, naturgetreu zu füllen, auf einfache, kostenschonende Weise, natürlich ohne Giftstoffe. Die Priorität während dieser Genesungsperiode aber war, sie endlich einmal bewusst spüren zu lernen, sie anzunehmen lernen, dieses tiefe Loch nicht mehr mit unvorteilhaften Kompensationen zu füllen, die mir ja nur schaden, mir nur das illusorische, oberflächliche Gefühl von Fülle geben können aber überhaupt nicht tiefgehend agieren und mich auch nicht wirklich ernähren, auf keinen Fall langzeitwirkend.

Also musste ich sorgsam und geduldig mit mir vorgehen, was jahrelang dauerte, gleichzeitig meine gesamten schädlichen Gewohnheiten ändern, tagtäglich ein bisschen neue, heilende Nahrung für meinen Körper, Seele und Geist erkunden und sie damit mühevoll, geduldig und respektiv ernähren. Obendrein musste ich mein unvorteilhaftes, destruktives Verhalten, die damit verbundenen ursprünglichen Glaubenssätze erkennen und sie anschließend fürsorglich, vorteilhaft verändern.

Das war harte Schule, noch dazu gab es, während dieser so heiklen, lebensnotwendigen Entwicklungsperiode keinen Menschen, der mich bei der Hand nahm, mir den Weg zeigte, wie ich dabei vorgehen sollte.

Deswegen teile ich meine Erfahrungen mit Dir, damit du es einfacher hast, du erhältst durch meine Geschichte automatisch einen möglichen Wegweiser, einige Tipps, ein Spiegelbild, unterschiedliche Erfahrungen in dieser Domäne, von mir am eigenen Leibe ausprobiert. Möglicherweise können sie Dir helfen, ohne langdauernd, qualvoll leiden zu müssen, beziehungsweise gar endlos viel Zeit zu verlieren, es wird Dir möglicherweise auch nützen zu wissen, dass du ja nicht allein damit bist. Es gibt um dich herum mehr Menschen, die sehr ähnliche Erfahrungen durchleben, als du glaubst. Auch Männer!

Mich würde nur interessieren, welche Gefühlsregungen mein Jugendfreund erfährt, er spricht mit mir darüber bedauerlicherweise nicht und wegen seinem Verhalten mir gegenüber, kann ich ja nur annehmen, dass es sich nicht sehr angenehm für ihn anfühlt. Wahrscheinlich ist dies der Grund, warum er sich nur sehr selten bei mir meldet, warum wir uns kaum sehen, warum er mehrere Wünsche, die er äußerte, mich einzuladen, oder zu mir zu kommen, bis jetzt nicht in die Tat umgesetzt hat.

Ich besitze Gewissheit darüber, dass ich mir zurzeit ausschließlich bewusstwerden soll, gleichzeitig spüren soll, wie weit meine Gefühlswelt, meine Stimmung, mein Innenleben von einem Zeichen von ihm, einem Treffen mit ihm abhängig ist. Meine Seele will angeblich bis jetzt keine langdauernde Partnerbeziehung aktiv eingehen, sich nicht vielfältig, verbindlich, ausgiebig mit einem Kompagnon austauschen, nicht physisch, nicht kommunikativ. Die bis jetzt erlebten Situationen mit dem Geschlecht Mann sollen nur dazu da sein, damit ich spüren kann, welche Gefühlsregungen und Sensationen ich jeweils dabei erfahre, und nebenbei wahrnehmen kann, was da noch alles an Gefühlen in meinen Körperzellen wohnt, die sich entschieden haben, ans Tageslicht zu treten.

Überdies erkenne ich, wie tief ich immer noch in die Opferrolle hinein sinke, es gegenwärtig als einzige Wahrheit sehe, beziehungsweise die Möglichkeit bekomme, die Erfahrung als témoin (Zeuge, Beobachter), als stiller spectateur (Zuschauer) zu durchschreiten. Gleichzeitig erfahre ich dabei, ob ich fähig bin, ihn anzunehmen, diesen Teil von mir, der meine volle Aufmerksamkeit benötigt, dieser nicht ausgefüllte Part, der noch in mir existiert, der sich unangenehm leer und ungeliebt anfühlt.

Gestern befand ich mich in einer Phase großer Leere, füllte mich deswegen zuerst mit Trinkwasser voll, später verbrachte ich einige Zeit mit achtsamen Annehmen meiner Gefühle, danach ging es weiter mit der Aufnahme von Nahrungsmitteln, ja ich passe schon auf, dass sie für meinen Körper und Geist gesund sind. Videos habe ich auch angeschaut, die helfen mir meistens, mich ein bisschen abzulenken. Ausgehen wollte ich diesmal nicht, habe all meine Verabredungen abgesagt, war nicht in Form, mit Leuten zu diskutieren, gezwungen zu lächeln, mich dabei zu amüsieren.

Heute geht es mir, dem Himmel sei Dank, besser, spürte in der Früh schon den Drang, die Beziehung einfach abzubrechen, aber ich muss dieses Gefühl über längere Zeit empfinden, um so eine Entscheidung zu treffen, damit ich es auch durchziehe, dann weiß ich, dass es die richtige seelische Wahl ist und sie nicht von meinem verletzten Ego getroffen wird, das alles unternimmt, um nur nicht zu leiden.

Ich bin heute von einem treuen Kunden auf einen SegelBootsausflug eingeladen, der schon mein Stammkunde geworden ist. Viel Lust habe ich nicht mitzumachen, trotzdem habe ich zugesagt und vielleicht hilft mir dieser Tag, mich mit anderen Sinnes-Nahrungsmitteln zu ernähren. Ein bisschen Vergnügen, Kontakt mit lieben Menschen, etwas Unbekanntes erleben, auf diese Weise meiner Seele und meinem Körper neue, lebensbejahende Informationen übermitteln, was auch zum Heilungsprozess gehört.

Was ich nicht verstehen kann, ist folgendes: Braucht mein Jugendfreund keine Beziehung, keinen Kontakt, keinen Austausch zu mir? Verspürt er mir gegenüber nichts? Kann er einfach so abschalten, alles überdecken, was da so empfunden wird und drüber hinwegschauen? Braucht er keine Nahrung, affektiv? Ist seine Angst grösser als seine Bedürfnisse? Hat er vielleicht inzwischen andere Beziehungen zu Frauen, die ihn auf affektiver Ebene ernähren, oder genug Kompensationsmethoden? Vielleicht erlebt er eh schon eine intime Affäre, die ihm Genugtuung bringt und die in ihm keine Angst hervorruft? Vielleicht werde ich es ja einmal erfahren oder auch nie.

Ich hätte einige Möglichkeiten, mit Männern eine Beziehung auf intimer Ebene einzugehen, aber es kommt nicht von meinem Herzen. Ich bin mir bewusst, dass dies nichts bringt, nicht richtig ist und es mich innerlich leer lassen wird, außerdem darf ich einen anderen Menschen nicht dazu verwenden, um meine affektive Leere zu füllen, ohne dass ich im Herzen diejenige Person wahrhaftig spüre und es mit ihr teilen könnte. Das wäre gegen meine jetzige Ethik, Lebensphilosophie, contra mein heutiges bewusstes Dasein. Habe ich früher lange genug durch erlebt, unbewusst, als ausgleichendes Verhalten, es hat nichts geholfen, dem Einzelnen und mir unglücklicherweise nur Leid gebracht.

10. Juli - Sonntag

Bin heute mit meinem besten Freund Laurent auf den Saint Croix-See gefahren und zwar mit seinem Camping-Car. Mit ihm verbringe ich immer eine sehr angenehme Zeit, ich habe ihn sehr gern, fühle mich in seiner Gegenwart schlicht wohl und kann voll ich selbst sein in allen Situationen, die wir miteinander teilen.

Er ist auf seinem persönlichen Lebensweg, ich auf meinem, zugleich tauschen wir uns immer, reichlich über unsere Erfahrungen, Ereignisse, Herausforderungen aus, helfen und begleiten uns gegenseitig bei bestimmten Blockaden, die auf unseren sehr eigenartigen, herausfordernden Lebenswegen auftreten. Wir motivieren uns gegenseitig, es hilft uns, die Situation, die wir erfahren besser zu verstehen, sie einleuchtender zu verarbeiten.

Wir verbringen viel Zeit miteinander. Seit einem Jahr ein bisschen weniger, aber unsere Treffen sind immer ehrlich, profund, herzlich und respektvoll.

Wir waren zusammen in Costa Rica für einen Monat, diese Reise war sehr erfahrungsreich für mich.

Heute waren wir schon sehr früh joggen, gemeinsam haben wir später auf einem sehr schönen, ruhigen, kleinen Seestrand in einer Bucht gebadet, im herrlich dunkelgrünen noch kühlen Wasser, ruhig, kein Wind, Sonnenaufgang, unendliche Stille, nur frühaufstehende Vögel und Insekten belebten melodisch die Stille.

Der Tag begann heute schon sehr früh für mich, wir übernachteten im Camping-Car am Rand einer ruhigen Straße gegenüber dem relativ großen, stillen See. Ich wachte sehr zeitig auf, Insekten, Jogger und Autos, die schon früher als ich wach waren, sorgten in der frühen morgendlichen Stille für unterschiedliche Geräusche außerhalb des Wagens.

Ich hatte bereits am Morgen ein unangenehmes Gefühl, zuerst hatte mich die halbe Nacht eine Gelse belästigt, später andauernd gestochen, schließlich, als ich nicht mehr einschlafen konnte, verspürte ich ein bisschen Trauer und Wut in mir hochkommen, es kam mir zu Bewusstsein, dass diese Gefühle durch einen Vorfall ausgelöst wurden, der mit meinem Jugendfreund in Verbindung steht und zwar, dass ich auf meine Bitte mit mir zu kommunizieren oder mir einfach nur ein Lebenszeichen zu schicken und mich endlich darüber zu informieren, wenn er keinen Kontakt mehr mit mir haben will, keine Reaktion bekommen habe. Funkstille wie immer, kein Smiley, kein Facebook-Lebenszeichen, auch keine WhatsApp- oder Mailnachricht, nichts kam über all diese modernen Möglichkeiten, die uns dabei helfen sollen, uns leichter auszutauschen. Nichts kam. Seit meinem Besuch in Wien unternimmt er keine Initiative mehr, um mit mir in Kontakt zu treten, sich mit mir liebevoll auszutauschen.

Das Dumme bei der ganzen Sache ist, dass neue unangenehme Emotionen gebildet werden, die schließlich noch zu den alten dazukommen, wieder erkannt, angenommen und losgelassen werden müssen, weil sonst mein Körper im Nachhinein wieder krankhaft reagiert (somatisiert), um sich auszudrücken.

Ich weiß eigentlich nicht, was ich tun soll, das macht mich traurig und ich fühle mich gänzlich handlungsunfähig, machtlos, unterdrückt und dominiert von diesem Ereignis.

Überzeugt, dass ich teilweise schuld daran bin, weil ich mich ja selbst in diese komplexe Situation gebracht habe. Ich spüre, dass ich ihm Angst mache mit meiner direkten und offenen Art zu sein, mich spontan und transparent auszudrücken, vielleicht nicht sehr weiblich, noch weniger diplomatisch zu sein, ja, das kann möglich sein. Ich fühle mich nicht respektiert in der Art, wie er sich mir gegenüber verhält und dass macht mich schwermütig, anschließend wütend. Dann sage ich mir wieder, dass ich dem Leben, der Quelle meiner Seele vertraue, ihr komplett die Entscheidung überlasse, weil ich glaube, das wichtige Vorhaben auf einem anderen Niveau passieren, dass wir als Sterbliche keinen Einfluss darauf haben. Ich meine, auf den Ablauf der Geschehnisse allgemein, wir sind nur akteurs und spectateurs (Zuschauer) jeder erlebten Situation.

Dann versuche ich, mich dieser Kraft hinzugeben und ihr zu vertrauen.

Es ist im Moment für mich nicht einfach. Irgendetwas sagt mir, dass ich die Beziehung nicht abbrechen soll, dass es eine neue Erfahrung für mich zu erkunden gibt, wenn ich nicht so wie früher handle, sondern die ganze Zeit über im Herzen bleibe und meine Atemübungen und diverse Techniken anwende, um mich dadurch emotional und seelisch besser zu fühlen. Darüber hinaus erlerne ich, mich nicht mehr in verschiedenen erlebten Emotionen zu verlieren, mich nicht mehr mit ihnen zu identifizieren, vielmehr nur annehmen, was gegenwärtig zur Kenntnis genommen wird, als bewusstes Wesen und loslassen, was das Ergebnis betrifft, in der Gegenwart verbleiben und im Herzbereich.

Es ist ein ständiger innerer Kampf, der sich da, vor und in mir ausbreitet, der mein tagtägliches Leben beeinflusst. Meistens sind die Augenblicke, die ich mit meinen Freunden verbringe, durch diese Gefühle und dieses Hin und Her in meinem Kopf, Körper, Gemütsleben entsprechend gefärbt. Ich bin so wütend, weil er nicht fähig oder nicht bereit ist, irgendeine Entscheidung zu treffen, und ich wiederum lernen muss, nicht mehr die Aktions-Woman, noch weniger das kontrollierende Element in meinen Beziehungen zu sein. Meine Wünsche und meine Entscheidungen nicht um jeden Preis dem Partner aufzuzwingen.

Mein Hals schmerzt, als ob da etwas brennen würde, wenn ich mich aber auf diesen Schmerz einlasse, kommt Traurigkeit hervor.

Mein Freund Laurent fängt im Moment an, mit seiner Jugendliebe sehr ähnliche Erfahrung zu machen. Sie hat ihn nach sehr langer Zeit wieder kontaktiert, möchte ihn wiedersehen. Ich wünsche ihm Glück, dass er diese seine Situation angenehmer erleben wird als ich.

Zurzeit ziehe ich sehr verschiedene Männer in mein Leben, die sich für mich näher interessieren, mich überdies auch intimer kennenlernen wollen. Generell fühle ich mich von ihnen keineswegs angezogen, diese Weise von Erkenntnissen erlebe ich ja jetzt schon seit ungefähr fünf Jahren.

Weiß nicht genau, was das Richtige für mich ist, habe ebenfalls keine Ahnung, was für meine Seele die beste Entscheidung ist.

Wahre Liebe zwischen uns ist da, da bin ich mir sicher!

Ich vermute jedoch, seine Ängste sind stärker, als ich dachte, und so immunisieren sie seine vom Herzen geleiteten Handlungen, wahrscheinlich auch noch seine Bedürfnisse, Wünsche und Träume.

Schade, aber alles, jede Situation hat einen Grund zu existieren, auch wenn ich ihn erst später verstehen werde, vielleicht nie.

Heute bin ich traurig und wütend, zur selben Zeit désespéré (verzweifelt, hoffnungslos), ohne Hoffnung auf ein Wiedersehen oder eine Möglichkeit der Evolution meiner Gemütslage.

11. Juli

War heute früh nicht gut drauf, überhaupt keine Lust zum Aufstehen, noch weniger zum Leben, irgendetwas zu unternehmen, zu vollbringen. Dann weckte mich mein Freund Laurent mehrmals auf, weil ich ja heute einen Kunden zur Massage hatte und wir nach wie vor im Camping-Car in der Nähe von Draguignan schliefen, wir mussten ja noch nach Hause fahren. Ich bemerkte meine Unruhe und Gereiztheit, obwohl mein Freund immer sehr nett, hilfsbereit und liebenswürdig sanft mit mir umging, mir liebevoll mein Frühstück, das aus warmem Wasser mit Zitrone, danach Kaffee bestand, zubereitete, mich behutsam in seine Arme nahm, nachdem ich ihm meinen Gemütszustand erklärt hatte. Für mich war jedoch jedes Sprechen oder Handeln schwer, weil mich die ganze Nacht diese lästige, hungrige Gelse auf Trab gehalten hatte, deswegen befand ich mich noch halb im Trancezustand, im Halbschlaf.

Wut, Traurigkeit, keine Hoffnung auf ein Wiedersehen mit ihm. Ich wünschte mir insgeheim, dass diese Situation sehr bald ein Ende findet, egal, ob ich ähnliches dann noch einmal in meinem Leben durchexperimentieren muss. Ich hatte genug. Stopp. Es war reichlich zu viel, ich brauchte emotionalen Urlaub, ich war während meiner ganzen Heimreise in Richtung Antibes traurig. Mein Freund merkte es und respektierte meinen trostlosen Zustand, fragte mich nur manchmal besorgt, wie es mir ging, ich war lustlos und wollte nicht sprechen, einfach nur nichts mehr fühlen, weg sein, verschwinden.

Nach meinen Massagen am Nachmittag ging es mir endlich besser, ich konnte schließlich auch wieder meditieren, dadurch zu mir ins Innere finden, Ruhe, Harmonie und Zuversicht kehrten wieder ein.

Ich mietete bei einer Freundin den Sommer über einen Massageraum, weil mein Sohn die Wohnung während der Schulferien über besetzt hat. Das gemütliche Appartement mit seinem naturbelassenen, kleinen, geruhsamen Garten ist, andächtig, energetisch leicht, hoch vibrierend, der Raum, in dem ich meine Kunden begleite, fühlt sich willkommen Zen an. Er gibt mir die Möglichkeit, sofort in einen meditativen Zustand überzugehen. Genauso empfinde ich es, wenn ich mich in ihrem Wohnzimmer, in der Nähe von dem von ihr erschaffenen Tempel befinde. Ich fühle mich dann gleich viel besser, stärker und nicht mehr allein, als wäre ich konstant mit einer höheren Kraft verbunden.

Nach der Besichtigung war ich am späteren Nachmittag noch im warmen, von mir ach so geliebten Meer schwimmen, das sich gleich in der Nähe ihrer Wohnung befindet.

Ich habe wieder einmal dieselbe Entscheidung getroffen, wie schon des Öfteren, nämlich, dass ich keine Aktion in Richtung meines Freundes in Wien mehr unternehme werde, ich verlasse mich diesmal wirklich voll und ganz auf das Universum. Ich spüre, dass da irgendeine höhere Kraft ist, die diese Situation zwischen uns perfekt lenkt und ich schon genug unternommen habe, eigentlich alles, was in meiner Macht stand. Jetzt lasse ich einfach los, so gut es halt geht, und wenn mir keine Emotionen mehr im Wege stehen, erlebe ich die von mir getroffene Wahl in einem ausgeglichenen Gemütszustand.

13. Juli

Gestern war ein spezieller Tag, der einige intensive Emotionen bei mir hervorgerufen hat. Erstens musste ich in einer privaten Angelegenheit bezüglich meines Gemütslebens, das weiterhin von meinen Erwartungen an Johann beeinflusst wird, eine definitive Entscheidung treffen (loslassen, abwarten, vertrauen funktionierte nicht), was natürlich eine Notwendigkeit für mein emotionales Gleichgewicht darstellt. Deswegen schickte ich ihm eine Mail – da er mich ja nicht zurückruft und ich ihm meine Entscheidung nicht persönlich mitteilen konnte – worin ich ihm erklärte, dass ich diese Art von Beziehung nicht mehr an mich heranlassen möchte, zumal ich willensstark erlernt habe, mich zu respektieren, mich bedingungslos zu lieben, dass mich sein Verhalten verletzt, mich traurig stimmt, mich automatisch in eine Warteposition sperrt, die überhaupt nicht angenehm für mich ist. Im Übrigen wünschte ich ihm, glücklich zu sein, und bitte ihn, zukünftig keinen Kontakt mehr zu mir aufzunehmen!

Ich bin traurig, lerne wieder, mich von einer geliebten Person zu lösen, aua, das tut weh, noch dazu ist diese Person ja ein wichtiger Teil meiner Vergangenheit.

Ich bin irgendwie enttäuscht, weil er mein Schreiben einfach so hinnimmt, darauf gar nicht reagiert, immer noch keine Reaktion, wie schon seit einem Monat, kein Lebenszeichen, Funkstille, egal wie ich mich verhalte, was ich ihm mitteile, keine Resonanz. Ich fühle mich aber besser in dieser Situation, als in einer, wo ich auf Antworten von ihm warte, oder dass er sich einfach wieder spontan bei mir meldet und meine Hoffnung wiederum erweckt.

Es ist für mich leichter, den Prozess des Beendens von solchen toxischen Beziehungen anzufangen, eigentlich bin ich es ja schon ein bisschen gewohnt. Diese Art von Erlebnis tritt seit meiner letzten Beziehung mit Jean Baptiste ja so ungefähr einmal im Jahr in mein Leben. Ich fühle mich im Nachhinein gezwungen, mit der Person und der blockierten Situation zwischen uns, Schluss zu machen, da die Beziehung einfach nicht weitergeführt werden kann. Besser als zu warten und zu hoffen, weil ich dieses Kapitel sonst nie beenden kann, weil ich sonst unentwegt, gefühlsmäßig hängenbleibe.

Ich wünsche diese Erfahrungen niemanden, es tut extrem weh, erweckt obendrein sehr intensive, langanhaltende Traurigkeit in mir, ich habe dann keine Lust mehr zu existieren, verspüre keine Freude mehr an irgendetwas, es ist sehr schwer für mich, irgendeine Aktionsenergie, oder einen Hoffnungsschimmer fürs Leben aufzubringen. Also ich habe beschlossen, mich jetzt vom Leben mitreißen zu lassen, akzeptiere einfach das, was auf mich zukommt, mich spontan auffordert, nicht alleine in meinen vier Wänden eingesperrt und traurig zu bleiben. Deswegen gehe ich jetzt den Einladungen nach, experimentiere, erlebe ohne Lust, wie auch ohne Leidenschaft, vielgestaltige Abenteuer, die mich traurigerweise, so habe ich den Eindruck, nicht wirklich tiefgehend ernähren, mich anderseits aber oberflächlich von der Melancholie und der Enttäuschung ablenken.

Nein, es darf nicht der Fall sein, nicht für mich, ich ziehe wie immer alleine weiter mit meinem lieben Sohn, meinen geliebten Freunden und meinen beruflichen und persönlichen Fähigkeiten und Zielen, auf meinen Weg des Er-wachens, meiner inneren Weiterentwicklung in Richtung Solo-Glücklichsein.

Es ist jedes Mal die gleiche Geschichte, die sich da bei mir abspielt. Ich kann nicht einmal mehr wütend darüber sein, ich kann mir ja nicht einmal mehr vorstellen, dass ich irgendwann einmal erleben werde, mit einer geliebten Person ein paar Tage vertraut zusammen zu sein, mich mit ihr hemmungslos auszutauschen, mich dabei vollkommen zu öffnen und bedenkenlos gehenzulassen.

15. Juli

Gestern ab 19 Uhr war Strand-Picknick mit Freunden an meinem Lieblingsstrand, es war wunderschön, lustig, unterhaltsam. Sehr viele liebe Leute, die ich eingeladen habe, kamen nicht, nicht jeder hatte Zeit, manche waren auch einfach nicht in Stimmung, schließlich waren wir zu dritt. Es war jedenfalls sehr, sehr lustig, wir unterhielten uns angeregt, jeder erzählte irgendwelche Anekdoten aus seinem Leben. Dazu tranken wir gekühlten Rosé und meinen Lieblings-Lambrusco, mein Favorit Getränk neben Champagner natürlich.

Wir blieben recht lange in diesem Ambiente, gingen noch öfter gemeinsam ins warme Méditerranée Meerwasser schwimmen. So ging das bis ungefähr Mitternacht weiter, durchweg schossen wir übermütige, lustige Fotos mit unseren iPhones.

Es war der Tag nach dem Attentat in Nizza, nach dem Feuerwerk des vierzehnten Julis, dem Nationalfeiertag hier in Frankreich, und so war heute allgemein die Stimmung sehr schwer, wie ausgestorben überall in der Gegend. Ich versuchte mich energetisch zu reinigen, mich ein bisschen davon abzulenken, indem ich im Wald spazieren ging, nur nicht mehr an dieses schreckliche Ereignis denken, mir die Möglichkeit geben, meine Energie wieder auf Hochtouren zu bringen, damit die Erde generell zu begleiten, gleichzeitig in höheren Schwingungsfrequenzen zu verbleiben. Zuvor fühlte ich mich lustlos und traurig, ohne Willen auf das Leben, also weinte ich manchmal, ließ diese unendliche Melancholie herauskommen, um nicht deswegen zu somatisieren. Tief im Wald atmete ich mehrmals tief durch, ließ mich gemütlich unter einen Baum nieder, wo ich meditierte und meine üblichen Praktiken ausübte.

Diesmal hatte ich nach meinem Waldbesuch überhaupt keine Lust mehr, an den Strand zu gehen, vielleicht auch wegen dem Attentat, das ja in der Nähe vom Meer stattgefunden hatte, aber ich wusste, dass mir das Meerwasser helfen würde, mich allumfassend zu regenerieren. Es war eine eigenartige Stimmung überall in der Umgebung, ich spürte die allgemeine Angst, die da herum schwebte.

Und es half mir wirklich, denn seit heute geht es mir wesentlich besser, ich spüre auch, mehr und mehr Abstand von dieser Beziehung zu bekommen.

Mein Sohn hat vor ein paar Wochen die Entscheidung gefällt, für ein Jahr mit einem Freund nach Berlin zu gehen. So ist nun mal der Verlauf des Lebens, ich wünsche ihm das Beste, er wird dort seine Erfahrungen sammeln. Ich freue mich für ihn, er spricht ohnedies ausreichend Deutsch und seine Englischkenntnisse wird er dort auch verbessern. Angeblich leben auch viele Franzosen dort, er wird sich dann möglicherweise einen neuen Freundeskreis aufbauen und sich eine neue Arbeitsstelle suchen. Es wird ihm guttun, eine Weile, ohne mich zu leben und das selbständige Leben zu erkunden.

Ein italienischer Freund kam mich heute an meinem Lieblingsstrand besuchen. Nach einiger Zeit, die ich dort alleine in aller Stille verbrachte, die ich auch sehr genoss, rief er mich endlich an, sehr wütend, da er sich verfahren hatte. Er kam mit seiner Vespa aus Monaco und ich sollte ihn telefonisch bis hierher zu mir führen. Jedoch war das große Problem, dass er einen Virus im Telefon hatte. Eine weibliche Stimme schwafelte andauernd etwas auf Französisch, somit war er ziemlich aus der Fassung, er konnte mich deswegen nicht gut verstehen. Er war so wütend und schimpfte sogar mit seinem Handy, fluchte ununterbrochen, während ich geduldig versuchte, ihn trotzdem zu mir an den Strand zu lotsen.

Ich merkte, dass diese Art von Stimmung für mich überhaupt nicht angenehm war und fragte mich insgeheim, ob es überhaupt notwendig war, sich immer mit Freunden zu treffen. Warum verbachte ich meine Freizeit eigentlich nicht alleine? Dann konnte ich mir selbst meine angenehmen, ruhigen Momente aussuchen und wenn es mir irgendwo nicht gefiel, einfach gehen und den Standort wechseln. Mit Freunden, die obendrein noch starke Emotionen erleben, geht so etwas nicht. Ich kann die doch nicht einfach so stehenlassen. Das Leben gibt mir immerhin die Möglichkeit, bei solchen Erlebnissen immer wieder zurück in mein Herz zu kommen, mich zu zentrieren, durchzuatmen und bei mir zu bleiben, dabei zu lernen, mich nicht von parasitischen äußerlichen Situationen beeinflussen zu lassen und meinen Mitmenschen das Recht so zu bleiben wie sie sind.

Es war ok, ich blieb standhaft und war stolz auf mich in meiner harmonischen, emotionalen Welt, obwohl er, als er endlich hergefunden hatte, versuchte, das sprechende Handy zu reparieren, wobei die italienische Stimme fortwährend weiter quasselte. Der späte Nachmittag verlief ziemlich harmonisch, aber irgendwann bemerkte ich doch den mich störenden Tonfall seines Handys und forderte ihn ein paarmal auf, das Ding leiser zu stellen. Er antwortete: „Geht nicht. Virus."

Darauf riet ich ihm, das Reparieren auf später zu verlegen, er könne es ja nach dem Strandbesuch, wenn er allein wäre, versuchen, aber er meinte, er kenne sich gut mit diesen Dingen aus und er mache es lieber gleich jetzt. Er versuchte es und schimpfte zur gleichen Zeit mit dem Apparat. Es fiel mir auf, dass so ein kleines, elektrisches Ding aus Plastik und Elektronik bei uns Menschen sehr unangenehme, starke Empfinden hervorrufen kann. Wir sind eigentlich von so einem Gerät emotional völlig abhängig, sehr schlimm, so eine Feststellung.

Nach einiger Zeit beendete er Gottseidank seine Reparaturversuche, legte es nun endlich beiseite. Ich war darüber umso mehr beruhigt, weil wir anschließend heiter miteinander plauderten und uns nett zusammen austauschten. Wir teilten unsere privaten Erlebnisse und gingen zwischendurch schwimmen, aßen die Früchte, die er mitgebracht hatte. Erfreulicherweise wurde es dann doch noch ein angenehmer Nachmittag.

Er vertraute mir auch die dunklen Seiten seines Lebens an. Er berichtete mir von seinem nicht Glücklichsein, dass er sein Leben nicht gern mochte, dass er wiederholt, verschiedene, unangenehme Situationen in seinem Leben anzog, die ihn andauernd betrüben, sowohl privat als auch beruflich.

Dass er schon seit langer Zeit die Nase von Monaco und diesen ganzen reichen, oberflächlichen Leuten, die dort leben, und ihrem Lebensstil voll hat. Dass er jetzt unmittelbar auf irgendeine spanische Insel umziehen möchte, wo nur Natur pur und einfache Lebensverhältnisse mit authentischen Menschen herrschen, die es zu erkunden gibt.

Manchmal muss man im Leben in eigenartigen Umgebungen und Situationen lange genug verharren, um zu merken, dass man nicht mehr dort leben will, dass man dort nicht mehr hinpasst, dass etwas zur Veränderung drängt, die Außenwelt nicht mehr mit der inneren Vibration in Harmonie steht. Es gibt keine Affinität mehr, das Innere ist mit dem Äußeren in eine Konfliktsituation geraten, dies verursacht Disharmonie und dementsprechend emotionales Leiden. Dann zwingt uns das Leben, Veränderungen vorzunehmen oder uns einfach für ein neues unbekanntes Erleben zu öffnen, neue Situationen, die man automatisch anzieht, zuzulassen, die gewohnte Art zu handeln oder zu reagieren, zu verändern und zu neuen Situationen, bei denen man gewöhnlich absagt, ja zu sagen, ihnen zustimmen, sich spontan von einem neuen Umfeld überraschen lassen.

Eine außergewöhnliche Erfahrung wäre ebenfalls, wenn die Lust dazu fehlt, sich von einer neuen Energie antreiben zu lassen, sich bejahend in eine Genre Resignationsphase hineinfallen zulassen, seine Empfindungen, die dadurch ausgelöst werden, anzunehmen, sich wie ein stiller Zuschauer, Zeuge von sich selber, von außerhalb stehend zu beobachten, und sich mit der gegebenen Realität zu beschäftigen.

Am Abend nach dem Strand hatte ich keine Lust, direkt nach Hause zu fahren, war aber auch von sieben durchgehenden Stunden, Sonne, Meer und Strand ein bisschen müde. Aber nicht genug, um schlafen zu gehen, es war ja erst sieben Uhr.

Deswegen telefonierte ich noch mit meiner italienischen Freundin, die bis acht Uhr abends arbeitete, fragte sie, ob ich zu ihr kommen konnte, um mit ihr zu speisen. Sie freute sich und so kaufte ich ein paar kleine Dinge zum

Knabbern, auch eine Flasche Wein für den Aperitif. Als sie mit ihrer Arbeit fertig war, genossen wir einen netten Moment in ihrem Apartment, anfangs erfreulicherweise auf der Terrasse, leider wurde es später noch ein ziemlich kühler Abend für diese Saison, daher speisten wir drinnen und bevor ich einschlief – der Wein war auch ein wenig verantwortlich –, fuhr ich lieber zu mir nach Hause.

Mein Sohn war wie seit einiger Zeit meistens nicht zu Hause. Diese Momente genieße ich überaus, wenn ich mich alleine in meinem trauten Heim befinde. Ich schaute mir noch ein kleines österreichisches Berg-Kitsch-Video im Computer an und schlief nach zwanzig Minuten ein.

17. Juli - Sonntag

Als ich heute Morgen sehr früh aufwachte, kam mein Sohn zur selben Zeit nach Hause. Oder möglicherweise er war es, der mich so früh aus dem Schlaf riss, da ich die hölzerne, leicht klemmende Eingangstüre aufgehen hörte, aber es war nicht mehr dunkel, auch nicht sehr hell, ich nehme an, so um die fünf Uhr herum.

Ärgerlicherweise dachte ich gleich wieder an meinen ex-chéri, begleitet von so einem unangenehmen Gefühl. Ich tröstete mich, erklärte mir: „Das ist normal. Du brauchst jetzt einige Zeit, um diese Situation zu verdauen, also respektiere dich in deinen Gefühlen und sei lieb zu Dir. Es ist normal, dass Du noch an ihn denkst. Es ist ja ganz frisch, dass du die Entscheidung getroffen hast, eure Beziehung nicht mehr zu ernähren, zu pflegen. Lass Dir die nötige Zeit, Tanja."

Ich schlief dann wieder ein und wachte erst viel später auf, es war heller geworden, aber meine Augenlider waren immer noch ganz schwer. Und wieder drängelte sich ein Gedanke hinein in mein Gedächtnis, plötzlich merkte ich, dass da auch Wut hervorkam, wahrscheinlich, weil nichts von ihm kam, keine Erklärung, warum er sich die letzte Zeit nicht mehr bei mir gemeldet hat und auch keine Revolte. Er akzeptiert den Entschluss, den ich für uns gefasst habe, ohne sich zu erklären, ohne zu versuchen, mich vielleicht umzustimmen. Nichts, Funkstille.

Ja, es war Wut wegen seiner Ignoranz, wegen seiner nicht-Reaktion und in meinem Kopf ging es hin und her mit Sätzen wie: „Er ist vielleicht eh froh, dass Du die Entscheidung getroffen hast, vielleicht hat er sich deswegen so verhalten, weil er eh keine Beziehung mit dir eingehen wollte und so ist es für ihn einfacher da ich ja diese Verbindung beendet habe." Dann dachte ich, dass er sich wahrscheinlich eh nichts aus mir macht und so weiter. Ich war traurig, enttäuscht und wütend, dass ich so viel Energie in diese Beziehung, oder nicht-Beziehung, gesteckt habe und nichts von ihm kommt.

Irgendwie bin ich froh, dass es nicht mehr so weiter geht wie bis jetzt, und irgendwie tut es mir doch leid, da ich mir etwas anderes erwartet habe. Aber wie ich ja weiß, Erwartungen kommen vom Mentalen und werden immer enttäuscht. Es ist ab nun an meine notwendige Aufgabe, keine mehr zu erschaffen, oder eher, sie nicht mehr zu ernähren, wahrscheinlich auch zu lernen dem Universum das Resultat zu überlassen. Schwierig!

Nachdem ich aufstand, fühlte ich mich voll mit unternehmerischer Energie, ich telefonierte mit einer Freundin, um den Vormittag gemeinsam am Strand zu verbringen. Diesmal gingen wir zusammen an einen anderen Strand, in der Nähe des Fort Carré in Antibes. Es war bedauerlicherweise ihre Wahl und so, wie ich es schon vorher ein wenig befürchtet habe, gab es dort Medusen (Quallen), aua!

So, jetzt schreibe ich Dir, habe Zeit wegen der brennenden Quallen, auch eine gute Sache, gehe gleich aber trotzdem schwimmen, hoffe, ich habe Glück und es erwischt mich keine Meduse. Dann erzähle ich Dir später von meinem Sohn, seinen Zukunftsplänen und von meinen Geld-, beziehungsweise Kundenmangel-Ängsten, die ich zurzeit noch dazubekommen habe, auch noch von meinen Heilkünsten, die sich noch weiterhin sensibilisiert haben.

20. Juli - Mittwoch

Keine Kunden, es ist ziemlich ruhig beruflich, ich habe aber gelernt, mir diesbezüglich keine Sorgen mehr zu machen, auch auf diesem Gebiet komplett zu vertrauen, somit lebe ich in den Tag hinein, den mir das Universum als Geschenk zur Verfügung gestellt hat, genieße ihn, profitiere, da ich heute frei habe.

Zu meinem Glück waren gestern im Hotel viele Kunden und auch am Donnerstag sind schon einige eingetragen, am Freitag auch noch ein paar. Was jedoch meine privaten Kunden angeht, die ich in meiner Praxis begleite, sie auch massiere, da ist momentan Sendepause. Es ist ja auch Hochsaison bei uns, in dieser Periode arbeite ich nicht so viel, weil ich eher Stammkunden habe und keine Touristen, die pflege ich ganzjährig nur im Hotel.

Gott sei Dank gibt es dieses Hotel, in Wien habe ich durch diese Schweizer Residenz einige Kunden und hier arbeite ich auch gut deswegen, das ganze Jahr über. Einmal, als ich mir die Hand geprellt hatte, stellte mich die Managerin als Rezeptionistin ein, so verblieb ich ein ganzes Jahr. Als es zu Ende war, ging ich wieder zu meinen Massagen über.

Im Leben kommen solche speziellen Geschenke oft zu mir, sie helfen mir des Öfteren immer mehr mein Vertrauen in das Unendliche zu stärken. Natürlich habe ich durch dieses Hotel und den sehr unterschiedlichen dazugehörigen Geschehnissen mit mir und meinem inneren Bewusstsein sehr intensiv weiterkommen können, verschiedene Blockaden erkennen, sie anschließend abbauen, annehmen und auflösen können. Es war wirklich viel Arbeit, die ich da bewusst erledigte, obwohl es öfter nicht angenehm war, hat es sich trotzdem gelohnt.

Dieses Hotel habe ich zufällig zu dem Zeitpunkt angezogen, als ich mich vor sechs Jahren als Masseurin selbständig gemacht habe, und eine Hotelanlage mit genügend Platz im Freien für meine individuellen Massage-Künste gesucht habe. Bei dieser Anlage ging ich spontan morgens vorbei, lernte zufällig die gouvernante (Haushälterin) kennen, die soeben dabei war, das Eingangstor aufzusperren und mich höflicherweise hereinließ. Als ich mich dann beim Manager vorstellte und ihm meinen Wunsch, unter freiem Himmel seine Kunden zu massieren unterbreitete, war er angetan von meiner genialen Idee und auch sofort einverstanden da noch dazu sein Kundenkreis größtenteils deutschsprachig war. Ich begann dort sofort am nächsten Tag.

Das war mein erster Schritt in meine berufliche Unabhängigkeit, nachdem ich vorher bei Jean Baptiste als Angestellte in seinem Unternehmen in Sophia Antipolis als Spa-Leiterin beschäftigt war. Dort begann ich auch schon damit, mich selbst besser kennenzulernen und meine heilenden Fähigkeiten zu erkunden.

Es ist wie mit Bekanntschaften, Partnern und Wohnorten. Es gibt sie, um sich durch sie zu erkennen, um noch näher an sich heranzukommen und um sich immer wieder aufs Neue durch sie auszuprobieren.

Und ja, dieses Hotel hat mir sehr dabei geholfen, genauso wie die Beziehung zu Jean Baptiste und auch zu meinem Jugendfreund in Wien, ebenso wie viele andere Bekanntschaften, Situationen und Umgebungen.

Mein eigenes Restaurant in Perpignan war eigentlich meine größte, längste und leidvollste défi (Herausforderung) in meinem bisherigen Leben.

Jetzt erzähle ich Dir von meinem Sohn, der ja seine Matura-Prüfung spezialisiert im Verkauf und Handel geschafft hat, ohne auch nur irgendeines seiner Schulbücher einmal aufgemacht zu haben. Ich bin stolz auf ihn, bravo. Er wollte sich danach wie erwartet Urlaub nehmen, sich ausruhen und zu Hause bleiben, keine Arbeitsstelle für die Sommer-Saison suchen und sich arbeitslos melden. Ich bin natürlich ausgeflippt, da ich ja meinen Kundenkreis zu Hause behandle, sie dort empfange und ich nur durch sie meine Miete bezahle, wie auch unsere gemeinsamen verschiedenen Fixkosten begleiche.

Und so musste ich mir in der Eile ein anderes Studio zum Massieren suchen, das ich auch sofort fand. Zu meinem Leid herrschte jedoch, jedes Mal, wenn ich dort massierte, störender Lärm, einmal ging die Nachbarin mit hohen Absätzen über unseren Köpfen spazieren. Das darauffolgende Mal war es ein Plombier (Klempner), der zwei Stunden lang einen Heizkörper auswechselte. Während meiner Quanten-Heilmassagen konnte ich nur Hammerlaute und Kreissägen-Geräusche wahrnehmen. Mein Kunde beruhigte mich zuvorkommend, er kennt mich schon lange und hat alle meine Problemsituationen, die plötzlich in mein Leben getreten sind, kennengelernt und sowohl meine permanenten inneren Weiterentwicklungskünste in Sachen Massage als auch meine übernatürlichen energetischen Heilfähigkeiten mitverfolgt. Eine treue Seele, ja, er beruhigte mich, indem er meinte, dass er Abstraktion von diesem Lärm machen kann. Er vielleicht ja, bravo, aber ich, die ständig meditiert und Zen sein sollte, hatte Schwierigkeiten, diesen Lärm anzunehmen oder ihn einfach zu überhören.

Als die Massage fertig war, war der Lärm natürlich auch beendet, wie sollte es anders sein. Diesmal reichte es mir, ich nahm meinen Massagetisch gleich mit, als ich den gemieteten Raum verließ. Ich hatte keine Lust, dort bei diesem Krach noch langer zu massieren. Irgendwie spürte ich das Ganze dort nicht mehr und vielleicht, wer weiß, hat das Leben mir einen Wink geschickt, dass ich auch Urlaub nehmen soll, einfach mal ausruhen, loslassen vom mir selber, dem Druck, den ich ständig auf mich ausübe, mit dem unbedingten Geld verdienen müssen.

Selbstverständlich besteht die Angst, meine Rechnungen nicht bezahlen zu können immer noch, aber sie blockiert mich nicht mehr so wie früher, wo ich immer sofort irgendwelche Werbe-Aktionen in die Wege geleitet habe, um neue Kunden zu finden, wenn einen Moment lang keine kamen, wie zum Beispiel verschiedene Hotels besuchen, dort ansprechende Angebote für meine Dienstleistungen zu machen. Manchmal ging ich auch auf Yachten, Luxus-Schiffe hier in all den Häfen, um meine Fähigkeiten anzubieten, aber es kamen dann sowieso keine Zusagen, weil mich nur meine Angst dazu motiviert hatte.

Meine jetzige Aufgabe ist es, dem Leben in allen Domänen zu vertrauen, ein paar Aktionen in der jeweiligen Richtung in die Wege zu leiten, aber dann wieder vom erhofften Ergebnis loslassen, weil das Leben mir sowieso das schickt, was ich gegenwärtig brauche.

Außerdem habe ich festgestellt, dass die erwünschten Kunden später von ganz woanders zu mir kommen als von den unternommenen Aktionen.

Vielmehr geht es darum zu versuchen, gesund und fröhlich zu leben, mich ihm Vertrauen zu erfahren und in der Gegenwart präsent sein. Die Energie des Momentes bewusst zu erleben, mit allen Sinnen, währenddessen ein paar gewünschte Aktionen in die Wege leiten, loslassen, vertrauen, meditieren, was für mich bedeutet, in den Körper hinein und raus vom Gehirn, permanent annehmen, was da hochkommt in mir. Anschließend ergibt sich eh alles von selbst, wenn ich zentriert bin und in Harmonie mit meiner Seele verschmelze, kann das Universum richtig operieren, durch mich vorgehen. Ja, es ist immer nur mein Mentales, die Angst und die Emotionen, die damit verbunden sind, die mich von meinem eigentlichen Ich-Dasein wegholen und auch vom fließenden Leben, von meinen Herzens- oder Seelenwünschen.

Und so glaube ich immer, alles besser zu wissen, doch gibt es da einen höheren Plan, der genau weiß, welche Rolle ich zu spielen habe, welchen Teil des Plans ich hier im Universum experimentieren soll, um vertrauter, liebender, bewusster zu werden, um schließlich Einheit und Vollkommenheit zu empfinden. Wenn ich mir das ins Gedächtnis rufe und mir über dieses universelle Gesetz jederzeit bewusst bin, von meinem Ego-getriebenen Wünschen loslassen kann, das geschehen lasse, was sowieso passieren soll, was von der Quelle bestimmt ist, ja, dann vermute ich, bin ich im Einklang mit dem Ganzen.

Jedoch, wenn mich die Angst vor der Zukunft, allein zu sein oder kein Geld mehr zu besitzen, verschuldet zu sein und kein Dach über dem Kopf mehr zu haben, dominiert, dann leite ich Aktionen in die Wege, die nicht mehr mein wahres Selbst ernähren, sondern meine Ängste. Das macht mich nicht wirklich glücklich.

Jede dieser défis (Herausforderungen), dieser Erlebnisse, dieser rencontre (Begegnungen), gibt mir die Möglichkeit, mich noch besser kennenzulernen, etwas Neues zu erleben, auszuprobieren. Ich habe immer die Wahl, entweder nichts zu tun und den Kopf in den Sand zu stecken, mich von den Ego-Bedürfnissen leiten zulassen, oder anderenfalls etwas Unendlichen, Göttlichen zu vertrauen und die Richtung einzuschlagen, die neu, möglicherweise unbekannt für mich ist.

Erfahrungsgemäß erlebe ich weiterhin ähnliche Situationen, die immer wieder zurück in mein Leben kommen, uneingeschränkt von mir verstanden werden möchten, solange diese Erfahrungen von meiner Seele erfahren werden wollen. Wenn meine Seele ein bestimmtes Ereignis unbedingt noch einmal durchleben will, ziehe ich diese Situation solange in meinem irdischen Leben an, bis ich alle Zusammenhänge verstanden habe, sie mit all meinen Sinnen bewusst erfahren habe, möglicherweise auch, bis ich begriffen habe, was ich daraus zu lernen habe.
Wie es zum Beispiel bei meinen unzähligen Männerbeziehungen der Fall ist. Ich habe zwar diesen mir schon bekannten Modus, nicht vorteilhafte Beziehung einfach so zu beenden x-mal durchlebt, aber ich spüre, dass es da noch weiteres wahrzunehmen gibt.

Ich kann mich aber nicht in die Zukunft hineinleben und somit ist mir nicht bekannt, was da auf mich zukommen wird, nur spüre ich diesmal, etwas anderes, mir neues, mir noch nicht widerfahrenes, tritt in meine Existenz!

Mein Teil der Verantwortung in dieser unharmonischen Beziehungen ist mir schon bekannt, ich habe wie immer, sobald ich mich von einem Mann angezogen fühle, meine Gefühle impulsiv preisgegeben und ihm meinen sehnlichsten Wunsch einer ehrlichen, verbindlichen Bekanntschaft erläutert. Mit diesem naiven Verhalten habe ich freilich verschiedene notwendige Etappen, um eine Zweierbeziehung zu gründen, übersprungen. Meine ungünstige gewohnte Verhaltensform zwingt den anderen in eine Enge, noch dazu nimmt ihm mein stürmisches Vorgehen, die instinktiv natürlich gesteuerte Vorgehensweise, die durch seinen männlichen Urtrieb geleitet ist, die Frau zu erobern, weg.

Auch diesmal habe ich mich täuschen lassen. Er hat mir schon bei unserem ersten Treffen anvertraut, dass er auf emotionaler Ebene keine Erfahrung hat, sie ihm Angst bereitet.

Ich sehe heute bildlich den genauen Ablauf dieser von mir gewünschten Situation, wie sie begonnen hat, wie ich sie ernährt habe, sieben Monate hindurch und wie ich alles erwartungsvoll darangesetzt habe, damit unbedingt erneut eine Liebesbeziehung zwischen uns entstehen kann. Damit endlich nach Jahren des Wartens auf einen günstigen Partner, mein innigster Wunsch endlich in Erfüllung geht. Ich wollte so sehr, dass er diesen Partner verkörpert, er es ist, mit dem ich eine Beziehung etabliere, eingehe, aufbaue, erfahre.

Meine ganze Hoffnung, meine volle Kraft habe ich in diese Illusion gesteckt, ich bin selbst daran schuld, dass er

Angst bekommen hat, mit Recht. Ich bin alleine verantwortlich für mein Empfinden, für mein Erlebnis. Mit Zwang und großen Erwartungen erhoffte ich mir mehr, als er mir zu geben im Stande war. Dies gleich im Anschluss an unser erstes Wiedersehen nach dreißig Jahren. Nach einem einmaligen Restaurant-Besuch, einer intimen Nacht, ein bisschen schriftlichem Austausch, ein paar Telefonaten. Ich wünschte mir, und verhielt mich wie ein Mann dabei, dass er mein Partner wird, habe ihn überhaupt nicht gefragt, ob er das eigentlich will. Ich hätte wenigstens geduldig auf eine Antwort warten sollen. Er hat mir nie etwas in dieser Richtung angedeutet, ich habe mir die ganze Zeit einen Wunschtraum in my mind (Verstand) vorgespielt, diesen auch noch ständig ernährt, von ihm erwartet, dass er denselben Traum mit mir teilt.

Ich bin das unternehmerische Element in dieser Beziehung und dabei ist es bis jetzt geblieben.

Er ist natürlich nicht komplett unschuldig dabei, klar, er gab mir ein paar Zeichen, die mir Hoffnung schenkten, am Ball zu bleiben, aber keine direkten Anfragen, keine Erklärungen, er hat mich nur hingehalten, nachdem mein Verhalten, durch meine affektive Abhängigkeit beeinflusst, ihm Nährstoff für seine innere Leere gegeben hat.

Und wenn die Angst vor einem gemeinsamen Treffen zu überwältigend war, weil dann konkret ein physischer Austausch stattfindet, herrschte natürlich Funkstille. Jeder war in seinen früher verletzten, egozentrischen Rollen gefangen.

Erfreulicherweise ist da seit heute Früh etwas in mir vorgegangen, etwas hat sich plötzlich verändert, ich hatte heute Morgen die Nase endgültig voll von dieser Art von unharmonischer Warterei. Außerdem ist mir jetzt noch bewusster geworden als zuvor, dass ich diese Art von Austausch durch meinen affektiven Mangel und den dazu passenden Verhaltensformen erschaffen habe. Es gab da jemand, der auf mich sensible zu sein schien, der mich ernährt, der für mich ebenfalls etwas vertrautes empfindet. Anschließend spielt sich dasselbe mir schon altbekannte Schema automatisch ab und, was weiß ich, was da alles noch ernährt wird in mir bei solchen Erwartungshaltungen. Der Vorgang des Szenarios ähnelt sich andauernd, meine Femme fatale ist lebendig geworden, hat ihre Rolle sehr gut verkörpert, hat ihn bezirzt, ihn charmiert um ihn in mich verliebt zumachen. Es wurde alles vom Unterbewusstsein perfekt organisiert. Ich erkenne diesmal bewusst, dass ich mein Szenario abspielen habe lassen, ausgelöst und inszeniert durch den Part meiner Persönlichkeit, der vom Geschlecht Mann früher sehr verletzt wurde, als ich noch ziemlich jung war.

Ich wurde respektlos behandelt und ein Teil in mir revanchiert sich, ohne es zu wissen. Wahrscheinlich spürt jetzt der Mann in meiner Gegenwart diesen Teil, der Rache, Genugtuung, Wiedergutmachung sucht.

Dieser Part in mir löst bei jedem potenziellen Partner Unbehagen aus, indessen reichen die anderen Anteile in mir, die ihn bezirzen, ihn auf ihre spezielle perfekte Weise anziehen, nicht aus, logischerweise geht wegen dieser Schutzmechanismen nichts Ehrliches in Sachen Partnerschaft weiter, ist ja logisch. Wie pervers dieser ganze Ablauf ist und wie unbewusst das Schauspiel in mir abläuft, ich wusste das vorher gar nicht.

Sein Inneres zieht sicher, ohne dass er sich darüber überhaupt im Klaren ist, den Nothebel. *Achtung, Gefahr*!

Und um mir darüber bewusst zu werden, damit ich diesen selbstquälerischen Ablauf in Zukunft stoppen kann, musste ich ihn wieder treffen, ihn unbewusst (jetzt bewusst), erneut in meinem Leben anziehen, die selbe Situation noch einmal durch erleben, nur mit meiner neu erfahrenen Erkenntnis!

Mein früheres erloschenes Verliebtheitsgefühl kam wieder wie ein Vulkan zum Ausbruch, meine gesamten verstummten Gefühle in dieser speziellen Verbindung wurden wieder zum Leben erweckt. Zum ersten Mal spürte ich es wieder im Restaurant, als er mir sein Handy gab. Zu diesem Zeitpunkt saß er sehr nah neben mir, damit ich darin meine E-Mail-Adresse eintragen konnte, für ein Foto, das er mir schicken wollte, welches meine Freundin am Vorabend von mir gemacht, und ihm gesendet hat. Genau während dieses Ablaufs verspürte ich das Erwachen meiner Anziehung ihm gegenüber wieder, das Gedächtnis meiner Körperzellen vergisst nichts.

Und alles spielte sich noch einmal sehr ähnlich ab wie früher. Daraufhin wurde er plötzlich wieder unnahbar, kein Kontakt mehr, keine Verabredungen mehr, die Versprechen, die er abgab, wurden nicht eingehalten.

Ich fand den Abend schön, als wir uns das zweite Mal während meiner Wien-Reise wiedersahen. Ich erlebte genau das, was ich mir insgeheim wünschte, wir waren intim miteinander. Hinterher fuhr ich leider wieder ab. Der leichte, angenehme und unbeholfene Abend veränderte sich bedauerlicherweise im Nachhinein in ein nur einseitiges in-Kontakt-bleiben-wollen meinerseits.

Nächste Woche fahre ich nach Wien, um vielleicht meinen Mietvertrag zu unterschreiben.

Wer weiß!

27. Juli - Nizza

Hallo, grüße dich, wie geht's, wie steht's? Ich bin wieder im Flugzeug nach Wien, habe endlich die notwendige Zeit und das Bedürfnis, dir zu schreiben, leider war bis jetzt kein Energiefluss zum Berichten in mir vorhanden.

Langere Zeil verstrich, in der sich wieder unzählige, unangenehme Erlebnisse in meinem reichen Leben abspielten, begleitet von intensiven Gefühlen, die dadurch ausgelöst wurden. Einige davon stehen in Verbindung mit meiner notwendigen Entscheidung, die ich kürzlich mit mir selbst traf, und zwar die Beziehung zu meinem Jugendfreund in Wien, jetzt endgültig unter diesen gegebenen Umständen weiterhin nicht mehr zu pflegen. Also habe ich auch keinen Kontakt mehr zu ihm. Obwohl mich dieser notwendige Schritt noch abwechselnd wütend, manchmal auch trostlos stimmt, kann ich diese Situation als richtig für mein inneres, ausgewogenes Gleichgewicht empfinden. Ich bin fest davon überzeugt, den für mich angemessen Schritt unternommen zu haben. Infolgedessen bemerke ich, dass ich mich dadurch viel mehr respektiere, sanfter mit mir umgehe, es wieder einmal erlernen musste, diese Art von Kontakt den ich da sieben Monate hindurch erfuhr, in der Hoffnung, dass wir uns vielleicht näher kommen können, folglich uns auch besser kennenlernen würden, mir zwar geholfen hat neue Erkenntnisse über mich bewusst zu erfahren, wobei leider gleichzeitig weitere, unangenehme Emotionen und Gefühle entstanden sind, die ich nicht mehr pflegen möchte.

Ich wusste es schon im Vorhinein, dennoch ist diese Phase für mich schwierig. Noch dazu befinde ich mich momentan in einer Gemütsregung, der inneren emotionalen

Reinigung, die schon vor ungefähr zehn Jahren begonnen hat. Also ist es für mein Wohlbefinden nicht angebracht, weitere schmerzvolle Emotionen in mir entstehen zulassen, durch diesen ungünstigen Austausch, oder eher Nicht-Austausch, vielmehr nur fiktiven Illusions-Austausch. Nein, das ist einfach nicht mehr gut für mich. Ich wusste, dass ich da an einer Grenze in mir angekommen bin.

Und ja, ich finde, dass ich mehr wert bin, übrigens durch meine jahrelang praktizierte Pflegeperiode mit dem Ziel, mich selbst zu lieben, zu respektieren, ist es mir wichtig geworden, solche unvorteilhaften Verbindungen einfach nicht mehr zu akzeptieren.

Ich habe ihn trotzdem lieb, es ändert nichts an meinen Gefühlen ihm gegenüber. Aber eine Wartebeziehung ohne realen, regelmäßigen, physischen und kommunikativen Austausch, die will ich nicht mehr pflegen, da habe ich besser überhaupt keinen Kontakt mehr zu ihm. Ich verbringe lieber die Zeit mit mir alleine, öffne mich gleichzeitig für einen potentiellen, herzlichen eher zu mir passenden Partner, wenn meine Seele dies erleben möchte.

30. Juli - Wien

Ich glaube, es ist Samstag, heute befinde ich mich auf der Donauinsel. Hier fühle ich mich immer sehr wohl, wenngleich eine kleine Menschengruppe, die sich wahrscheinlich des Öfteren hier trifft, andauernd miteinander diskutiert und sie manchmal, für meinen Geschmack sehr oft, sehr laut auflachen, und mich dadurch von meiner ersehnten Stille abhalten. Außerdem haben sie mich schon ein paarmal aufgeweckt, während ich mein wohlverdientes Nachmittagsschläfchen genossen habe. Vorhin auch, als ich versuchte zu meditieren. Das ist natürlich nicht so angenehm, aber ich bin selbst verantwortlich dafür, weil ich mich absichtlich hier niedergelassen habe. Die Plätzchen sind rar, Schatten, Sonne, fünf Zentimeter vom Wasserufer entfernt, mit direktem Zugang zum Wasser!

Ich habe mich hierhergelegt, weil ich mich anfangs, als ich hier ankam, als Frau allein, in Sicherheit gefühlt habe, es waren zu Beginn nur zwei ältere Damen hier, in aller Ruhe sonnend.

Ich verspürte heute den Wunsch, mich an einem Teil der Freikörperkultur, der naturbelassenen Zone neben der Donauinsel niederzulassen, um mich als naturverbundene tantrische, freie Frau, nackt in der Natur auszuprobieren, obgleich ich jedenfalls, um mich hier entblößt zu erfahren, noch ein wenig Schutz benötigte. Ich hatte keine Lust, mich von irgendwelchen, von Lust besessenen Männern belästigen zu lassen, deswegen dieser Platz. Hier fühlte ich mich völlig in Sicherheit, alles rundherum war zu meinem Besten, das naturreine, kühlende Wasser, der angenehm, schützende Schatten, die wärmende Sonne, hier und da ein paar kleine grüne Sträucher, gemischt mit einigen kleinen Bäumchen die den schmalen Weg entlang sehr, sehr nahe beim Ufer wuchsen. Ideal zum Schwimmen, Grillen, Faulenzen, Spazierengehen, Radfahren, Rollergleiten. Zu meinem Verdruss, je später es wurde, umso mehr Menschen kamen, die den gleichen Wunsch hatten wie ich, sie gingen neben meinem, zuvor perfekten Platz, sehr dicht an mir vorbei, um ebenfalls ins Donauarmwasser zu gelangen und sich dort schwimmend zu erfrischen. Von Stunde zu Stunde kamen mehr und mehr sonnenanbetende Menschen, die sich hier niederließen, immer mehr von diesen Naturleuten, die noch dazu ständig, angeregt unüberhörbar penetrant untereinander kommunizierten. Sie lachten aufdringlich grell, es störte mich immer mehr, auch dieser spezielle, typische, wienerische Akzent, eher XXX populär, der mir plötzlich sehr unangenehm erschien, genau dieser Dialekt, den mein Vater immer kritisierte.

Ich habe vorhin ein paar Worte mit ihnen ausgetauscht und mich nett mit ihnen unterhalten, sie verhielten sich einfach und unkompliziert, ja diese eigenartige volkstümliche Ausdrucksweise ist wirklich nicht sehr angenehm anzuhören, ich hatte den Eindruck, dass alle Wörter sooo in die Lääänge gezooogen weeerden!

So, jetzt aber wieder zu mir und meinem schönen Ausflug, den ich heute mit dem ausgeliehenen Fahrrad der Stadt Wien unternahm. Und zwar bin ich von der Wohnung meiner Mutter vom dritten Bezirk mit dem Rad die ganze Praterallee entlanggefahren, habe einige Brücken überquert, um hinüber auf die anliegenden Ufer der neuen Donau zu gelangen, wo ich dann endlich nach ungefähr zwanzig Minuten, an diesen idyllischen Ort gekommen bin. Ich fühle mich unbeschreiblich wohl hier das viele Grün, die stille Natur, das erfrischende, naturbelassene, sanft treibende Wasser. Übrigens ist es auch nicht so langanhaltend heiß hier in Wien, wie bei mir in Frankreich, an der Côte d'Azur, wo ich es ja gewohnt war, andauernd an den Strand zu gehen, ohne Schatten weit und breit und jeder um sein ein Quadratmeter kleines Plätzchen rang. Nun ja, es ist für mich jetzt auch schon wirklich zu heiß dort geworden, fast möchte ich sagen, unerträglich, obwohl ich mich regelmäßig im Wasser aufhalte, sind dort ja auch manchmal diese Quallen, wobei ich mir nie hundert Prozent sicher bin, wo, wie viele und wann die kommen, noch dazu, wenn ich ungezwungen weit hinausschwimmen wollte.

Meine gegenwärtigen Gedanken drehen sich mehrmals in meinen Kopf herum, mit dem eventuellen Wunsch, vielleicht doch gerne wieder zurückzukommen in mein Heimatland. Ich bin mir aber nicht exakt sicher, ob dies wirklich der Wille meines wahren höheren Selbst ist, meiner Seele, meines inneren Gottes, oder ob dieser Wunsch nur einem egozentrisch geleiteten Verlangen in mir entspricht, möglicherweise noch nicht oder überhaupt nie realisierbar ist.

Ja, mit diesem Apartment, das ich besichtigt habe, das mir sehr gefallen hat, nicht weit weg vom Prater, außerdem nur wenige Minuten von Mamas Wohnung entfernt ist, hat es nicht so richtig funktioniert. Irgendwie hundertprozentig habe ich es dann doch nicht gespürt. Als ich den Vertrag unterschreiben sollte, kam dann plötzlich ein Zeichen des Himmels, das zweite Mal als ich wieder zur Besichtigung hinging und meine Nichte mitnahm, zeigte sich ein Problem mit der Haustüre der Wohnung, sie wollte einfach nicht aufgehen. Anschließend, als meine Nichte vorzeitig die Wohnung verließ, um Freunde zu treffen, fing plötzlich Nachbars Hund laut zu bellen an, dadurch erschien mir dieses Appartement augenblicklich nicht mehr so optimal, nicht als Wohnsitz, auf keinen Fall als Massagestudio. Schade, es ist eine Altbauwohnung mit hohen, großflächigen Räumen, ausgestattet mit einem schönen dunklen Parkettboden, wie ich es so gern mag. Es soll nicht sein, anderes wird in mein Leben treten.

Gleich anschließend kamen die Nachbarn aus ihrer Wohnung, unterhielten sich angeregt mit der Hausbesitzerin, die uns bei dem Besuch begleitete. Dadurch erfuhr ich, dass sie mehrmals auch durch den gemeinsamen Flur, der sich in meiner Wohnung befindet, gehen werden, auch ihre Freunde und Bekannten. Da kam mir zu Bewusstsein, dass ich in diesem Appartement ja nie meine vollkommene Ruhe erleben werde und auch überhaupt keine Intimität, noch weniger meine Kunden. Ich entschied mich ohne Zögern, diese Wohnung doch nicht zu mieten.

So, um wieder zu diesem Thema zurückzukommen das ich vorher angesprochen habe! Wer ist dieser Teil in mir, wie kam er zustande, welchen Einfluss, welche Stärke hat er, meine Entscheidungen zu beeinflussen, oder gar mein ganzes Leben? Es sind ja mehrere Anteile in mir, unterschiedliche Persönlichkeiten, Akteure, Stimmen, also wem jetzt vertrauen, wem nachgeben, wessen Wünsche erfüllen?

Ich habe diese Erkenntnis schon seit ein paar Tagen, eigentlich eher Wochen, aber es wird immer intensiver, während ich feststelle, dass ich bei bestimmten Situationen, ebenfalls sehr unterschiedliche, gegensätzliche Befinden, Meinungen, Wünsche, Hoffnungen, Vorstellungen, Erwartungen habe. Ich nenne Dir ein Beispiel: betreffend die Geschichte mit meinem Jugendfreund. Wenn ich in der Früh aufstehe, empfinde ich Wut, weil er sich nicht mehr bei mir gemeldet hat. Später aber empfinde ich Harmonie, die Gewissheit, dass ich die für mich richtige Entscheidung getroffen habe. Gleich darauf verspüre ich Ärger, allerdings auf mich, weil ich mich auf so ein illusorisches Gefängnis eingelassen habe. Anschließend kommen Schuldgefühle hervor, weil ich es ja selbst eingefädelt, angefangen habe. Obendrein bin ich auf ihn böse, weil er sich mir gegenüber so verhalten hat, hinterher auf mich, nämlich weil ich schon seit längerer Zeit lerne, mich zu lieben und zu respektieren und immer noch unbewusst diese Art von qualvollen Verhältnisse in mein Leben rufe.

Dieser Part in mir, der diese Form von Austausch ja gar nicht mehr möchte, weil er gelernt, hat sich zu respektieren, und nicht mehr daran glaubt, dass Veränderung möglich ist, macht sich in der Früh breit, aber dann ist da der Teil in mir, der wieder Hoffnung hegt und sich noch immer herzlich wünscht, dass er sich bei mir entschuldigt, mir erklärt, warum er sich mir gegenüber so verhalten hat, mir trotz allem schließlich vorschlägt, einen Versuch, uns langsam kennenzulernen, zu starten.

Nebenbei darf dann noch die Opfer-Rollenspielerin existieren, die gibt es ja auch noch mit ihren unterschiedlichen Emotionen und ihren vielfältigen Sensationen.

Was ist jetzt die wirkliche Wahrheit, welcher Teil bin ich, die Tanja, welcher Teil ist Illusion?

Was will meine Seele damit erreichen, was will sie ausprobieren, was möchte sie mir vermitteln und warum verstehe ich ihre Wünsche nicht, warum leide ich darunter, warum kann ich diese umfassenden, unterschiedlichen Anteile, diese multiplen, widersprüchlichen Rollenspieler in mir nicht akzeptieren?

Warum kann ich nicht ganz arglos mit einer gesunden, mir vorteilhaften, beständigen Persönlichkeit problemlos eine normale Beziehung beginnen? Und sie kontinuierlich wie auch friedlich erleben? Warum fühle ich mich nur zu unmöglichen, unbefriedigten, unvorteilhaften Situationen, Erfahrungen, Beziehungen, hingezogen, die nicht beständig, sukzessiv ausgelebt werden können? Was soll ich daraus lernen, was will mir damit meine Seele mitteilen? Ich möchte endlich einmal verstehen.

Welcher Teil von mir wünscht sich eine harmonische, ausgeglichene, herzliche Partnerbeziehung und welcher Part will lieber frei, alleine, autonom durchs Leben ziehen? Welcher Anteil will schließlich überhaupt gar keine Beziehung, eben weil viel zu viel Gefahr für die kleine Tanja tief im Hintergrund besteht?

Warum können diese Alle-Zusammen-Teile, die untereinander grundverschieden, widersprüchlich in mir existieren, in ihren Wünschen nicht miteinander harmonisierend verschmelzen und ein Ganzes bilden und mir dadurch die Chance geben, das zu akzeptieren, was ich in meinem Leben anziehe?

Warum bin ich nur so komplex und kompliziert? Wie funktionieren andere? Geht das auch so umständlich bei ihnen in ihrem inneren Kern zu, so kunterbunt, ambivalent durcheinander?

Manchmal bin ich wutentbrannt und verärgert auf meine Seele, weil ich sie nicht begreifen, nicht hören kann, weil sie nicht klar mit mir kommuniziert. Überdies verstehe ich nicht, warum ich all diese unterschiedlichen Identitäten mit mir herumtrage, die grundlegend widersprüchlich sind!

Fortsetzung folgt in

Band 2 !

Zusammenfassung aller Bände

Eine bewegende Autobiografie erzählt von einer wagemutigen Frau, die seit ihrer Jugend in Frankreich lebt, auf der unumgänglichen Suche nach innerer Glückseligkeit. Ihre ungewöhnlichen Erlebnisse berichtet sie in Form eines sehr intimen, unglaublichen und außergewöhnlichen Tagebuches. Ausschlaggebend war ihre permanente Lebensunlust, die existenzielle Frage nach dem Sinn ihres Daseins, ihre jahrelange Depression, ihre Abhängigkeit vom Mann und auch das schmerzhafte Wiedersehen mit ihrem Jugendfreund nach dreißig Jahren. Berührende Mails, die sie an ihn regelmäßig nach ihrem Wiedersehen schreibt, bleiben meistens unbeantwortet. Also schreibt die Autorin ihre Erlebnisse und Gefühle einem außenstehenden Wesen. Dadurch beginnt ihre innere Heilung. Die intuitiv geleitete Schriftstellerin berichtet ungeschminkt über ihre tollkühne, existenzielle, innere Reise auf der Suche nach dem Glücklichsein, unabhängig von äußeren Reizen. Währenddessen beschreibt sie ausführlich und tief gehend, was sie bei ihren sehr speziellen Erlebnissen empfindet. Gleichzeitig gibt sie dem Leser die Möglichkeit, in sich selbst hinein zu fühlen. Auf dieser sowohl abenteuerlichen als auch mystischen Suche durchschreitet sie unterschiedliche Bewusstseinsebenen, die ihr helfen, aus dem unbewussten Dornröschenschlafzustand ihres egozentrischen Seins endlich aufzuwachen und den Sinn ihres irdischen Daseins zu erfahren. wobei ihr unglaubliche Gottes- und Seelenerfahrungen widerfahren. Gleichzeitig experimentiert sie auf sehr mühevolle Weise, die Lehre zu bedingungsloser Eigenliebe und lernt anschließend einen

Seelenpartner kennen, mit dem sie diese wahre Liebesform bewusst erlebt, und zwar auf komplizierte, sehr anstrengende Weise. Übernatürliche und übersinnliche Erfahrungen und Eindrücke werden von ihr ausprobiert, auf diesem geleiteten Weg zu sich selbst lernt sie, sich bewusst mit der universellen, kosmischen Lebensenergie auseinanderzusetzen und sich mit ihr zu verbinden, um sie im Nachhinein mit ihrem physischen Körper zu harmonisieren und sie permanent auf dieser materiellen Welt zum Ausdruck zu bringen. Gleichzeitig schildert sie das Erwachen ihrer unterdrückten, nicht wahrgenommenen, unfreien, abhängigen, begrenzten inneren Frau. Durch Herzöffnung erkennt sie, dass wir alle miteinander in Verbindung stehen, dass das Empfinden der Dualität nur Illusion ist, weil alles nur *Eins* ist!